新 潮 文 庫

芝 生 の 復 讐

リチャード・ブローティガン
藤 本 和 子 訳

新 潮 社 版

8419

ドン・カーペンターに

目次

芝生の復讐

芝生の復讐《ふくしゅう》

わたしの祖母は、彼女なりに、波乱のアメリカ史に狼煙《のろし》のごとく光を放つ存在である。彼女はワシントン州の小さな郡《カウンティ》で酒の密造をやっていた。体重は一九〇ポンド、身長は六フィート近くあり、一九〇〇年代初頭のグランドオペラ風に身をこなし、堂々たるものだった。彼女の専門はバーボンで、それはやや熟成が足りないものだったが、かのヴォルステッド禁酒法の時代には喜ばれたものだった。

いうまでもなく彼女はアル・カポネの女性版というわけではなかったが、しかし、その界隈《かいわい》では、彼女の商売にまつわる手柄話を知らぬ者はなく、多くの伝説が生まれた。長いあいだ、その郡を手中におさめ思いのままにしていたのだ。毎朝、保安官が電話をかけてきて、天気予報を伝えたり、鶏の産卵の調子について報告したりするのだった。

祖母はきっとこんな風に保安官と話していたのだろう――「ねえ、保安官、早くおかあさんのかげんがよくなるといいですねえ。あたしもね、先週は風邪ひいちゃって、喉《のど》の痛みがひどくてね。まだ、鼻をくすんくすんしてますよ。おかあさんによろしくいってくださいよ、このあたりにきたら寄ってくださいってね。そうそう、それから、あの例のもの、ご入用なら、ありますからね、取りにきてもらってもいいし、ジャックが車で帰りしだい、すぐに配達させてもいいですよ。

いえ、今年は消防署のダンスパーティに行くかどうかきめてないんですがね、でも、あたしが消防士たちのことを大切に思ってることはわかってもらえますよね。今晩、あたしの姿が見えなかったら、あたしがそういってたと消防士たちに伝えてくださいな。ええ、ええ、行くつもりではいますよ、でも、風邪がすっかりなおってないのでね。夜になると、なんだかぐったりしちゃって」

祖母はその当時ですらもうすでに古くなっていた三階建ての家に住んでいた。前庭には梨《なし》の木が一本あったが、長年芝を植えないでいたから、庭は雨によってひどく侵食されていた。

かつては芝生を囲っていた柵《さく》もすでになくなっていたから、人々はポーチまで車を乗り入れた。冬になれば、前庭はぬかるみの穴ぼこになり、夏になれば、石のようにカチカチになった。

ジャックはいつも、前庭が生きものででもあるかのように、それに向って悪態をついた。ジャックというのは、祖母が三〇年も一緒に暮した男である。彼はわたしの実の祖父ではなくて、ある日フロリダの土地を売りにそのあたりにやってきたイタリア人だった。

人々が林檎《りんご》を食べ雨ばかり降る土地にやってきて、彼は永遠のオレンジと陽光の夢の行商で、家々を一軒ごとに訪ねて売っていた。

ジャックはマイアミの繁華街からほんの鼻の先にあるという土地を売りつけようとして、わたしの祖母の家にやってきたのだったが、それから一週間後には、彼は祖母のウィスキーを配達していた。彼は三〇年間もそこに滞在しつづけ、フロリダは彼なしで存在しつづけた。

前庭はおれに対して反感を抱いている、といって、彼はそれを憎んでいた。ジャックがそこへやってきたころには、まだ美しい芝が生えていたのに、彼がそれを台無しにしてしまったのだ。水をまくこともなければ、手入れなどいっさいしなかった。

だから、地面はカチカチに固くなってしまって、夏になると彼の車のタイヤはパンクした。庭はつねに彼のタイヤに穴を開けてやろうと釘《くぎ》をもって待ちかまえ、冬になって雨が降ると、車は水没して姿を消してしまうのだった。

その芝生はもともと、精神病院で人生の終末をおくったわたしの祖父のものだった。それは彼の誇りであり悦《よろこ》びであったばかりか、彼の力の根源だとさえいわれていたのである。

祖父はワシントン州で二流の超能力者として知られ、一九一一年に、一九一四年六月二八日きっかりに第一次世界大戦が勃発《ぼっぱつ》すると予言した。けれども、人生は彼には荷が勝ちすぎた。一九一三年に入院させられ、ついにみずからの予言の成果を見ることもなく、じぶんは子供で、ときは一八七二年五月三日であると信じつつ、州立精神病院で一七年を過したのである。

彼は、じぶんは六歳で、それはいまにも雨が降りだしそうな曇り日のこと、母親がチョコレート・ケーキを焼いている、と思いこんでいた。一九三〇年に死んだそのときまで、祖父にとっては毎日が一八七二年五月三日だったのである。チョコレート・ケーキが焼き上るのに一七年もかかったことになる。

祖父の写真が一枚あった。わたしはとても彼に似ている。ただひとつだけ違うのは、わたしは背丈が六フィートもあるのに、彼は五フィートにも足りなかったということだけだ。彼は、じぶんがそれほど背が低く、地面にとても近いから、芝生が第一次大戦開戦の日付けを予言する能力を与えてくれるだろうと、謎《なぞ》めいた考えを抱いたのだ。戦争が彼なしに始まってしまったのは残念なことだ。あと一年だけ、じぶんの幼年時代をそのままにしておき、チョコレート・ケーキのことは忘れようとさえしていたら、彼の夢はすべて実現したはずなのだ。

祖母の家にはずっと、一度も修繕されたことのないふたつの巨大な凹《へこ》みがあった。そのうちのひとつはつぎのようにしてできた——。秋になると、前庭の梨の木の実が熟して地面に落ち、それが腐ると何百匹という蜂《はち》がたかった。

蜂たちはいつの間にか、年に二度か三度ジャックを刺す、という習慣を身につけてしまった。それもおそろしく巧妙なやりかたで刺すのだった。

あるとき、一匹の蜂がジャックの財布に入りこんだ。ポケットに災難がひそんでいるとも知らず、彼は夕食のための買物にでかけた。

食料品の勘定をすませようと思って、財布をとりだす。

「七二セントだよ」食料雑貨商はいった。

「ああああああああああああああああ！」ジャックはさかんに小指を刺している蜂を見下し、そう答えた。

最初の大きな穴をあけた責任は、株式市場相場総くずれを見たあの梨の実の秋、これまた、前庭に車を乗り入れたジャックの口がくわえていた葉巻にとまった蜂にあった。

蜂が葉巻の上を駆けおりる、ジャックは恐怖にかられ寄り目でそいつをじっと見つめるばかり、そこで蜂がうわ唇を刺す。これに対する彼の反応は、その瞬間、家の中へ、まっしぐらに車をつっこむことだった。

ジャックが芝生を放ったらかして台無しにしてしまってからというもの、あの前庭ではじつにいろいろなことが起った。一九三二年のある日のこと、ジャックはなにか用があった、あるいは祖母のためになにかを配達していたのかもしれない。祖母は古いマッシュを棄《す》てて、あらたに仕込もうと考えた。ジャックが留守なので、祖母はじぶんでそれをやることにした。いつも蒸溜器《じょうりゅうき》のところで働くときにつける鉄道員のオーバーオールを着て、手押車にマッシュをのせると、それを前庭に棄てた。

祖母の家のまわりには一群の純白の鵞鳥《がちょう》がうろついていた。彼らは、ジャックがフロリダにおける未来を売りつけにやってきてからこのかたずっと、駐車場として使われることのなかったガレージを巣にしていた。

車が家を持っているなんてまるでおかしい、それがジャックの考えだった。きっと彼の「故郷」ではそう考えられていたのだろう。なぜかというと、答はイタリア語にあって、ガレージのことをいうとき、ジャックはイタリア語しか使わないからだった。ほかのことでは、彼は英語を使ったのに、ガレージのことになるとイタリア語しか使わなかった。

梨の木の近く、地面にマッシュを棄てると、祖母は地下室の蒸溜器のところへ戻って行ったが、そこへ鷲鳥たちが全員でてきて討論を始めた。

おそらく、彼らは意見の一致を見たのだろう、どれもこれも一せいにマッシュを食べ始めた。マッシュを食べ進むうちに、彼らの目はどんどん輝きをまし、マッシュをほめたたえる声もどんどんとその大きさをました。

しばらくすると、一羽の鷲鳥がマッシュの中に頭を突っこんで、それを引き抜くのを忘れてしまった。また、べつの一羽は気がちがったようにガーガーとわめきたて、一本足で立ってW・C・フィールズ流にこうのとりの模倣《まね》をするのだった。そいつは一分ほどそのままの恰好《かっこう》でいたが、やがて尻《しり》もちをついて倒れた。

祖母が、倒れたままの姿でマッシュの中にのびている鷲鳥を見つけた。まるで機銃掃射を受けたみたいだった。彼女のオペラ的高みから眺めると、そいつらは全員死亡しているように見えた。

そこで、彼女は鳥たちの羽毛を全部ぬいてしまうと、手押車にその裸体を積み上げて地下室へ運んだ。全員を収容するのに、五往復もしなければならなかった。

蒸溜器のそばにそいつらを薪のように積み、ジャックの帰りを待った。一羽は夕食用に、残りは町で売ってささやかな利益をあげるべく、然《しか》るべき処置をほどこしてもらうつもりだった。蒸溜器の仕事をすませると一階へもどり、昼寝をした。

鷲鳥たちが目を覚ましたのは、それからおよそ一時間もしてからのことだ。なんともむごたらしい宿酔《ふつかよい》になっていた。そいつらは意味もなく立ち上ったが、にわかに、そのうちの一羽がからだからすっかり羽毛が消え失《う》せていることに気づいた。そこで、そいつは他の鵞鳥どもにも自分たちがいかなる情況に置かれているのか知らせてやった。鵞鳥たちはそろって絶望に陥った。

鵞鳥たちは侘《わび》しくよろめく一団となって地下室からでた。ジャックが前庭に車を乗り入れたとき、そいつらは梨の木のあたりにかたまってたちすくんでいた。

丸裸の鵞鳥たちがたたずんでいる光景を目にした瞬間、ジャックには蜂に口元を刺されたあのときの記憶が蘇《よみがえ》ったにちがいない。なぜなら、彼はくわえていた葉巻をやにわに狂ったように口からもぎとり、力いっぱい放り投げたからだ。この動作により、彼の手はフロントガラスを突きぬけた。その結果、三二針も縫われる羽目になる。二度目に、そして二〇世紀最後のその種の事件としてジャックが家に車を突っこむところを、梨の木の下の鷲鳥たちは、下手くそな、ふがいないアスピリンの広告を思わせるような構図で、じっと見つめていた。

＊

わたしの人間としての最初の記憶は祖母の前庭のことである。一九三六年、あるいは一九三七年のことだ。おそらくあれはジャックだったのだろうが、わたしはひとりの男がその梨の木を伐《き》り倒し、それにびっしょりと石油をかけていたのを憶《おぼ》えている。

ひとりの男が地面に三〇フィートほどの長さで横たわる一本の木にあとからあとから何ガロンもの灯油をかけると、つぎに、枝にまだ青い実をつけているその木に火を放つ光景は、いくら人生最初の記憶とはいえ、異様な光景だった。

一六九二年版コットン・マザー・ニュース映画

おお、ワシントン州タコマの一九三九年の魔女よ、わたしがこうして次第におまえに似てきたいま、おまえはどこにいるのだ？　かつてはわたしのからだも子供の空間の中にあり、扉たちには巨大な意味があってほとんど人間かと思えた。一九三九年には、扉を開けることはなにかを意味したのだが、その頃、子供たちはいつもおまえを揶揄《からか》ってばかりいた。なぜかといえば、おまえは気がふれていて、わたしたち二人がこじき雀《すずめ》のようにドブにすわっていた場所から通りをへだてた家の屋根裏部屋に、たった独りで住んでいたからさ。

わたしたちは四歳だった。

おまえはいまのわたしぐらいの歳《とし》だったと思うが、子供たちはいつもおまえをからかって「気狂《きちが》い女だ！　逃げろ！　逃げろ！　魔女だ！　魔女だ！　あいつに目を見られるな。わあ、おいらを見たよう！　逃げろ！　助けてえ！　逃げろ！」とわめくのだった。

いま、ヒッピー風に長く髪をのばし、奇妙な服装をしているわたしはおまえに似てきた。一九三九年におまえが気がふれて見えたのに負けぬほど、一九六七年のわたしも頭がおかしいように見えるのだ。

サン・フランシスコの朝、幼い子供たちがわたしに向ってわめき立てるんだよ、「やい、ヒッピー！」って。ちょうど、タコマの黄昏《たそがれ》どきをとぼとぼと行くおまえに向ってわたしたちがわめき立てたようにさ。

わたしがそれにもう慣れっこになってしまったように、おまえも平気になっていたのだろうね。

わたしは胆《きも》だめしの機会なら決して逃さない子供だった。やれるか、といわれれば、どんなことだってやった。なんてこった！　侏儒《しゅじゅ》のドン・キホーテさながら、「勇者」の道を行く修行のため、「勇者」の思想を実現する目的でわたしのしたことといったら。

わたしたちはすることもなくドブに腰を下していた。例の魔女を待っていたのか、それともともかくドブからわたしたちを解き放ってくれる機会のおとずれを待っていたのだ。すでに一時間もそこにそうしていたのだったか。もちろん、それは子供時間の一時間。

「あの魔女の家へ行って、窓から手を振ってみな、できるか?」と、なんとか情況を打開すべく友達がいった。

わたしは道の向い側にある魔女の家を見上げた。屋根裏部屋に窓がひとつついていて、恐怖映画のスチール写真さながらの形相でわたしたちを見下していたのだ。

「できるとも」とわたしはいった。

「胆っ玉がでかいぜ」とその友達はいった。彼の名前は思いだせない。歳月がわたしの記憶をすり減らし、彼の名前があるべき場所を小さな空白にしてしまったから。

わたしはドブから腰を上げ、道をわたり、屋根裏部屋へ通じる階段のある、家の裏手へまわった。階段は木で、年老いた母親猫みたいに灰色で、三階の魔女の扉まで続いていた。

階段の下には塵芥《ごみ》の鑵《かん》があった。どれが魔女の塵芥の鑵だろうか、とわたしは考えた。そのうちのひとつの蓋《ふた》をあけて、なにか魔女の塵芥があるのではないかとなかを覗《のぞ》いてみた。

なかった。

ありきたりの塵芥でいっぱいになっているだけだった。その隣の鑵の蓋もとってみたが、その鑵にも魔女の塵芥はなかった。三番目のも調べてみたが、それも初めの二つと何ら変ったところはなかった。魔女の塵芥は見当らなかった。

そこには三つの塵芥鑵があったが、彼女の住んでいた屋根裏を含めて、その建物の中は三軒のアパートになっていた。三つのうちのひとつは彼女専用の塵芥鑵だったろうが、彼女の塵芥と他の住人たちの塵芥のあいだにはまったく違いがないのだった。

……それなら……

わたしは屋根裏部屋への階段を昇った。まるで仔猫《こねこ》に乳をのませている年老いた灰猫を撫《な》でるみたいに、そおっと注意深く階段を昇った。

ようやく、わたしは魔女の扉に到達した。彼女がなかにいるのかどうかわからなかった。いたかもしれない。ノックしてみたかったが、それはばかげていた。もし、彼女がそこにいたとしたら、わたしの姿を見たとたんに扉をぴしゃりと閉めるだろう。そうでなければ、何の用だい、と訊《たず》ねるだろう。そんなことになったら、わたしは「助けてくれ！　助けてくれ！　魔女に見られた！」と叫びながら階段を駆け降りるだろう。

扉は高く、黙りこくって、中年の女みたいに人間くさい。腕時計の裏蓋をはずしてなかを見るときのようにそっと扉を開けたとき、わたしはその女の手に触れたような気がした。

家に入ってみると、最初の部屋は台所になっていて、そこには彼女の姿はなかったが、花瓶だとかいろいろな瓶が二、三〇個もあったが、それには花がたくさんいけてあった。食卓の上、棚の上、そして桟の上だとかに瓶は置かれていた。萎《な》えた花もあれば、生々とした花もあった。

次の間に行ってみると、それは居間で、そこにも彼女はいなかったが、またしても花があふれるようにいけられた花瓶や空瓶が二、三〇個もあるのだった。

花たちのせいで、わたしの心臓の鼓動が速くなった。

彼女の塵芥の鑵に騙《だま》されたのだ。

最後の部屋に入ってみると、そこは寝室で、そこにも彼女の姿はなかったが、またしても、花があふれるようにいけられた花瓶や空瓶が二、三〇個もあった。

寝台のすぐ隣りに窓があった。それが通りを見下していた窓だ。寝台は真鍮《しんちゅう》で、さまざまな色や形の布をつぎはぎしたキルトがかけてあった。わたしは窓へ行って、ドブに腰を下してこちらの窓を見上げている友達をじっと見おろした。彼にはわたしが魔女の家の窓のところに立っていることが信じられないようだったが、わたしが彼に向ってゆっくりと手を振ると、彼もゆっくりと手を振ってそれに答えた。わたしたちが手を振る動作は、わたしたちの腕を起点にするとても遠い旅のようで、それはさながら二人の人間がふたつの別々の町にいて、そこから手を振っているような感じだった。そう、タコマとセイレムの町でそれぞれ手を振っているみたいで、わたしたちの手の動きは何千マイルも隔った場所で振られる手の動きのこだまにすぎなかったのだ。

さて、それで胆だめしは首尾よくおわった。わたしはせまくるしい庭のようなその家のなかで窓に背を向けた。すると、まるで花々の地すべりに倒されたかのごとく、わたしの心の中のあらゆる恐怖がわたしを崩壊させてしまった。せいいっぱいの金切り声をあげて外へ駆けだし階段を降りた。わたしは、手押し車ほどの量でこんもりとして湯気を立てている竜のウンコを踏んでしまったみたいに、わめいた。

わたしがわめきながら家の横からでて行くと、友達もドブから立ち上ってわめき立てた。きっとわたしが魔女に追いかけられていると思ったのだろう。

コットン・マザー〔一六六三―一七二八。悔い改めなければ地獄で焼かれるぞ、と説いた牧師〕による一六九二年版のニュース映画ならさだめしそんなふうだったろうと想像させるような自分たちの声に追われて、わたしたちは叫び声をあげつつタコマの往来を駆けぬけた。

これは、ドイツ軍がポーランドに侵入する一月《ひとつき》か二月《ふたつき》前のことだった。

⅓
⅓
⅓

三分の一ずつ分けあうことになっていたのだ。わたしがタイプして⅓もらう、彼女が編集して⅓もらう、彼がその小説を書いて⅓もらう。

印税は三等分しよう。そう取り決めて、それぞれどの仕事をうけもつか、どのような条件で仕事を進めるか、完成時のゴールはどこか。三人はそれぞれこの計画を了承して、約束をかわした。

わたしが⅓分のパートナーとして仲間に入れてもらえたのは、タイプライターを持っていたからだ。

福祉局が彼女とその九歳の息子フレディに貸していた古いあばら家から通りを隔てた向い側、わたしはじぶんで建てたボール紙貼《ば》りの掘立小屋に住んでいた。

小説家はそこから一マイル離れたところにある製材所の貯木池のそばのトレーラー

に住んで製材所の夜警をしていた。一九五二年、わたしは一七歳で、太平洋岸北西部にいて、雨ばかり降る暗いあの土地で寂しくて不安だった。わたしはいま三一歳だが、あの頃、どんなつもりであのような暮しをしていたのか、いまだにわからない。

三〇代後半の女はといえば、永遠に脆《もろ》くはかないタイプの女だった。そういう女たちは、かつてはとても美しく、ダンスホールやビヤホールでおおいに注目を集めたものだが、いまでは生活保護手当てをもらう暮しで、一月《ひとつき》に一度、手当ての小切手を受けとる日を中心にして、くらしのすべてがそのまわりをめぐっている。

「小切手」という言葉は彼女たちの人生で唯一《ゆいいつ》の宗教的な言葉となり、どのような会話にも、その言葉を必ず三、四度は使うのである。話題がどのような性質のものであっても、必ず使うのだ。

　小説家は四〇代の後半だった。背が高くて赤ら顔をしていたが、自分の人生は、不貞の恋人たちと、五日間ぶっつづけで呑《の》むほどの惨《みじ》めな暮しと、車を買えば必ずトランスミッションが悪いという不運の連続だ、といいたいような印象を与えた。

　小説を書いていたのは、ずっと昔、彼が森林で働いていたときに起った話を書きたかったからである。

金も欲しかった。⅓だ。

わたしがこの一件に関《かか》わりを持つようになった成行きはといえば——。ある日のこと、わたしはわたしの小屋の前に立って林檎《りんご》を食べながら、いまにも降りだしそうな、黒いみそっ歯の痛みをこらえているみたいな空をじっと見上げていた。

わたしにしてみれば、それは仕事のようなものだった。空を見つめ林檎を食べることに、それほど熱中していた。そのときのわたしはきっと、良い給料をもらっていて、もしその先もずっと長く空を見つづけたら年金までもらえるという条件で雇われている者のように見えただろう。

「ちょっと、あんた!」誰かが大声で呼んだ。

ぬかるみの向うを見ると、その女性がいた。彼女はグリーンの格子《こうし》縞《じま》の上着をつけていた。年がら年じゅうそれを着ていた。もっとも、町の福祉事務所へ行くときだけは、これを着ない。不恰好《ぶかっこう》なくすんだ灰色のコートを着た。

わたしたちが住んでいたのは、その町の貧民街のほうで、道路は舗装されていなかった。道路はよけて通らなければならないただのぬかるみにすぎなかった。車を使うことはもうできなかった。車たちはアスファルトや砂利が好意を示してくれる場所を、別種の振動数によって移動していたのである。

彼女は、冬になるといつもきまって穿《は》いた白いゴム長靴を穿いていた。その長靴のせいで、彼女はなんだか子供みたいに見えた。とても弱々しく、すっかり厚生省に頼って生きていたので、ほんとうにたびたび一二歳の子供のように見えた。

「なんだい？」とわたしはいった。

「タイプライター持ってるでしょう、ねえ？」と彼女はいった。「あなたの小屋を通ると、タイプを打つ音が聞こえるもの。しょっちゅう夜にタイプを打つのね」

「ああ、タイプライターは持ってるよ」とわたしはいった。

「上手なの？」

「まあな」

「こっちには、タイプライターがないのよ。仲間にならない？」と彼女はぬかるみの向うで大声でいった。白い長靴を穿いて、ほんとうに一二歳の子供のよう。すべてのぬかるみが憬《あこが》れるかわいい恋人。

「仲間になるって、どういうことさ？」

「あのね、彼が小説を書いてるの」と彼女は答えた。「なかなかのものでね。あたしが編集するの。ポケットブックやリーダーズ・ダイジェストをずいぶん読んでいるからよ。それでね、それをタイプしてくれる人が欲しいのよ。⅓あげる。どおお？」

「その小説、読んでみなけりゃな」とわたしはいった。なにがなんだか、話が呑みこめない。彼女には三、四人のボーイフレンドがいて、かれらが始終出入りしていることは知っていたが。

「いいわよ」と彼女は叫んだ。「タイプする以上、そりゃ読まなきゃね。きなさいよ。すぐに彼のところへ行きましょう。彼に会って、小説にも目を通したらいい。いいひとよ。すばらしい小説よ」

「よし」わたしはぬかるみをよけるために、そのまわりを歩いて、福祉事務所からおよそ二マイルのところ、年齢は一二歳、ワル者の歯医者の家の前に立っている彼女のほうへ行った。

「じゃあ」と彼女はいった。

＊

ハイウェイまで行って、そこから、ぬかるみや製材所の貯木池や畑から雨水がとうとうと流れ出しているのを横目に見て、ハイウェイを歩いて行くと、鉄道の線路と交差してから折れて下りになっている道に出た。黒ずんだ冬の丸太があふれるように浮かんでいる五つか六つの小さな製材所の池に沿って、その道は続く。

わたしたちはほとんど言葉を交さなかった。話したことといえば、到着が二日も遅れている小切手のことで、彼女が福祉事務所に電話すると、係員は、もう郵送したから明日には着くはずだ、もし届かなかったらまた電話しなさい、緊急用の郵便為替を振りだすからと答えた、ということだった。

「明日、ちゃんとくるといいね」とわたしはいった。

「そうなのよ。でないと、町まで行かなくちゃならない」

いちばん遠くにあった製材所の貯木池のかたわらに、材木を積んで台を組み、その上に載せた黄色の古いトレーラーがあった。それがふたたびどこかへ移動することはありえない、ハイウェイはもはや夢のごとき遠い天国になったと、一目でわかった。排出口の上でぎざぎざの渦をまく、死んだような煙を吐きだしている墓場みたいな煙突がついていて、それはじつにもの悲しいトレーラーだった。

扉の前、粗末な板切れで造られたポーチに、半分犬で半分は猫みたいな動物がすわっていた。動物は半ば吠《ほ》え立て、半ばはニャオと鳴くような感じで「ワニャオッ！」と吠えてからトレーラーの下へすばやく駆けこんで、ブロックの蔭《かげ》からわたしたちのほうをうかがっていた。

「ここよ」と彼女がいった。

トレーラーの扉が開いて、男がポーチに姿をあらわした。ポーチには薪《まき》が積んであって、黒いタール塗りの防水布でおおわれていた。

雨が降りそうでなにもかもが暗く黒ずんでいたのに、その男はあたかもギラギラと眩《まば》ゆいまぼろしの陽ざしから目を守るかのごとく、手をかざすのだった。

「やあ」と彼はいった。

「こんにちわ」とわたしはいった。

「こんにちわ、あんた」と彼女はいった。

彼はわたしの手を握り、わたしをトレーラーに迎えてくれた。それから、彼女の口もとにキスをして、そのあと、わたしたちは内へ入った。

トレーラーは小さくて泥だらけで、黴《かび》くさい雨のようなにおいがした。乱れたままの大きな寝台があって、それはキリスト教世界のこちら側で行われたもっとも哀《かな》しい性交の歴史のパートナーをつとめてきた寝台のように見えた。

半分折りたたみになった、グリーンの植物みたいなテーブルがあって、虫みたいな椅《い》子《す》がそえてある。それにちっぽけな流し台と、料理・暖房兼用のちっぽけなストーブ。

そのちっぽけな流し台に、汚れた皿があった。皿はもうずっと昔からいつも汚れていたように見えた。永遠の使用にたえるべく、生まれたときからすでに汚れていたのだ。

トレーラーのどこかで、ウェスタンを流しているラジオの音がした。でも、ラジオがどこにあるのかはわからなかった。わたしは隅々まで探したのだが、どうしても見つからない。きっと、シャツかなんかの下にあったのだろう。

「このコがタイプライター持ってるのよ」と彼女がいった。「タイプしたら、⅓あげるのよ」

「いいと思うよ」と彼がいった。「タイプする人間が必要なんだから。ぼくもこんなことは初めて体験するわけだし」

「見せてあげたら、どう？」と彼女はいった。「見てみたいんだって」

「いいとも。でも、あんまり、きちんと書いてないんだ」と彼はわたしにいった。「小学校の四年までしか行かなかったからね、それで、彼女が編集してくれる。文法とか句読点とか、そういうのをきちんと直してくれる」

テーブルの上、六〇〇本ぐらいの吸殻の入った灰皿のかたわらに一冊のノートがあった。ノートの表紙にはホパロング・キャシディ〔一九五〇年代、テレビの西部劇の主人公。映画にもなった正義の味方〕のカラー写真が印刷されている。

そのホパロングの写真は、前の晩、スターの卵たちをハリウッドじゅう追いかけまわして、もう馬の鞍《くら》に戻る力もないほど疲労困憊《こんぱい》しているような姿だ。ノートには、二五ページか三〇ページ分ぐらい書いてあった。小学生流に大きくのたくっている字だ。つまり、活字体と筆記体のふしあわせな結婚。

「まだ書き終えてないんだ」と彼はいった。

「あんたがタイプする。あたしが編集する。この人が書く」と彼女はいった。

若い木こりがウェイトレスに恋をする話だった。小説は一九三五年、オレゴン州ウエストベンドのとあるカフェから始まっていた。

若い木こりがテーブルにつくと、ウェイトレスが注文を取りにきた。彼女はブロンドの髪と薔薇色《ばらいろ》の頬をしたとても美しい女だった。若い木こりは仔牛《こうし》のカツレツにマッシュ・ポテトと田舎風のグレーヴィーをつけてくれと注文した。

「そう、あたしが編集する。あんたがタイプしてよね？　悪くない話でしょ？」彼女は一二歳の子供の声でそういった。肩越しに福祉事務所がこちらを覗《のぞ》き見している。

「悪くない」とわたしはいった。「簡単だよ」

外は、前兆もなく、にわかにどしゃ降りの雨になった。大粒の雨で、トレーラーは揺れんばかりだった。

あんたってふんとにこ牛のカツレツが好きねいとメイベルはいたかのじよはきれいくて林ごのようにあかい口ぶるのところにインピツを持ろて持ていた！

あんたに注門とってもらうときだけだよおとカールはいたかれはドちらかというとはにかみやの木こりではあたがセイザイショを経栄しているてておやどうようからだは大きくつおいのだた！

グレヴィをいっぱいあげっからね！

⅓ と、とつぜんカフェのドアが開いてリンス・アダムズが入てきた彼はハンサムで残⅓ コクそこらではだれもがおそれていたでもカールとその乳父はちがったふたりはダンゼンおそれてはイネガッタよ！

⅓ 黒いマキノーコートをつけてそこに立ている彼を見てメイベルはブルったヤツが彼女にほほえみかけるとカールは煮えたぎるコーヒーのごとく、キョウ気のごとく、自分の体の中の皿血がカッとあつくなるのがわかった。

かわいこちゃんとリンスがいうとメイベルは花鼻のようにあかくなた。そのとき、わたしたちはといえば、雨のトレーラーのなかに坐《すわ》りこんで、アメリカ文学の扉を叩《たた》いていたのである。

カリフォルニアは招く

おおかたのカリフォルニア人がそうであるように、わたしももとはよそからきた。カリフォルニアはさながら金属を食べてしまう花で、それが陽光を、雨を吸収するように、わたしを呼びよせたのだ。花はハイウェイの方角にむかって、花弁をおいでおいでとふって、車たちを招きよせる。何百万台もの自動車がたったひとつの花に吸いこまれてしまう。花は交通渋滞のにおいにむせてはいるが、まだまだ何百万人も収容できるのだ。

カリフォルニアはわたしたちを必要としている。だからよそから呼び集める。おまえも、おまえも、おまえもおいで。そこでわたしも太平洋岸北西部からやってきた。そう、あれは呪《のろ》われた地で自然が人間とミニュエットを踊る。過ぎ去った昔の日々、わたしとも踊ったのだ。

わたしはじぶんの知っていたことのすべてをたずさえて、そこからカリフォルニアへやってきた。もうふたたび戻ることもない、あるいは戻りたいとも思わない。今のそれとはちがう生活の長い長い歳月だった。ときには、あのころのことはどこかわたしに似た面影の別人のからだが経験したことにすぎなかったのではないかとさえ思ってしまう。

カリフォルニアはよその土地から人々を集めたがり、昔のことを忘れさせる。不思議なことだ。まるでエネルギーそのものに、あるいはあの金属を食べる花の影に、それまでの生活を棄《す》てて出てこいと命令されたかのように、わたしたちはこうしてカリフォルニアに集まっては、やってきたタージマハールでさえパーキング・メーターの形に変わってしまうような終局を迎えるまで、カリフォルニア人として暮すのだ。

カリフォルニア現代生活に関する短篇

　奇抜な始まりかたをする物語はいくらでもある。でも、いまわたしが語ろうとしているのはそうではない。カリフォルニアの現代生活に関する物語を書くにはジャック・ロンドンが『海の狼《おおかみ》』で使った方法を借りるのがいちばんいいと思う。一九〇四年には、それでうまく行った。一九六九年になっても、うまく行く。あの始めかたなら何十年たっても古くならないし、わたしのこの話にはちょうどいい。だって、ここはカリフォルニアだし――したいことは何だってできるのだ――そして、わたしが書こうとしているのは、ひとりの金持ちの若い文芸評論家がサウサリトからサン・フランシスコへ向うフェリーに乗っている、という話だ。彼はミル・ヴァレーの友人の別荘に二、三日滞在した。その友人は、冬の間にショーペンハウアーやニーチェの著書を読むのにその別荘を使う。ふたりはとても楽しい時を共にする。

霧のサン・フランシスコ湾を渡りながら、彼は『自由の必然性・芸術家への嘆願』というエッセイを書くことを考えている。

もちろん、ウルフ・ラーセン〔『海の狼』の主人公〕は水雷でフェリーを撃沈し、若い金持ちの文芸評論家を捕えるが、あっという間にキャビン・ボーイに変えてしまい、彼は滑稽《こっけい》な帽子なんか被《かぶ》らされて、誰からも手ひどく扱われる破目になる。彼はウルフとすばらしく知的な会話を交したり、ウルフに尻《しり》を蹴《け》られたり、喉元《のどもと》をしめられたりするが、やがて航海士に昇進したりするうち、成長してほんとの恋人モウドに出会い、ウルフから逃れる。しみったれたこぎ舟で太平洋なんぞへ出てはバタバタとやって、小島を発見。石で小屋を建て、あざらしを棒切れで殴りつけ、壊れた帆船を修理したり、ウルフを海に埋葬したり、キスしてもらったり、云々《うんぬん》。つまり、これは六五年後に、カリフォルニアの現代生活についてのこのわたしの物語を終らせるための筋立てなのだ。

ありがたや。

太平洋のラジオ火事のこと

世界最大の海はカリフォルニアのモントレーに始まる、もしくは、そこで終る。それはきみの話す言語によってどちらかに決まる。わたしの友人の女房が彼をおいて出て行ってしまった。さようならさえいわずに、出て行ってしまった。わたしたちは1/5ガロン瓶のポルトを二本買ってきて、太平洋に向った。

そう、アメリカのありとあらゆるジュークボックスで演奏されてきた、古い歌だ。その歌はもうあまりにも長いことすたれもせずにいるので、まさにアメリカの塵《ちり》に録音され、あらゆるものの上にふり積もり、椅子《いす》や自動車やおもちゃやランプや窓などを無数の蓄音器に変身させてしまった。そして、恋に破れたわたしたちの心の耳にその歌をきかせるのだ。大きな花崗岩《かこうがん》や、太平洋の巨大さを表すすべての語彙《ごい》にとり囲まれている小さな隅っこのような浜に、わたしたちは腰を下した。

彼の持っていたラジオのロックン・ロールに耳を傾け、陰鬱《いんうつ》にポルトを呑《の》んでいた。ふたりとも絶望していた。だって、彼がその後の人生をどう送ればよいものやら、わたしにもわからなかったからだ。

わたしは、もう一口呑んだ。トランジスタラジオのビーチ・ボーイズがカリフォルニアの女たちのことを歌っていた。カリフォルニアの女たちが気に入った、という歌を歌っていたのだ。

彼の目はびしょぬれの傷ついた雑巾《ぞうきん》だった。奇妙な真空掃除機みたいに、わたしは彼を慰めようとした。悲しく傷ついた人をなんとか助けたいと思うときに誰もが口にするようなきまり文句を並べてはみたものの、でも言葉じゃ全然どうにもならない。だれかの声が聞こえてくる、というだけがただひとつの取柄なのだ。愛する者を失ってまいっている人に、なにかいってみたところで慰めにはならない。

やがて、彼はラジオに火をつけた。ラジオのまわりに紙を重ねて、紙にマッチで火をつけた。わたしたちはそれをじっと見つめて坐《すわ》っていた。わたしはそれまで、誰かがラジオに火をつけるところを目撃した経験はなかった。

ラジオが音もたてずに燃えるうち、炎がわたしたちの耳にとどいていた歌たちに影響をあたえはじめた。『ベスト40』で一位だったレコードが、その番組でにわかに一三位に落ちてしまった。それまでは第九位だった、誰かを愛しているんだという内容の歌のコーラスの真最中に、それは二七位に落ちた。傷を負った小鳥たちのように、歌たちは人気の世界で転落していった。やがて、すべての歌にとりかえしのつかない終末がおとずれた。

エルマイラ

鴨《かも》狩りをする若きアメリカのプリンスの夢の中で、わたしはエルマイラに立ち帰る。ロング・トム・リヴァーの橋の上に、ふたたびわたしはたたずんでいる。いつもきまってそれは一二月の終りで、川は水かさを増して濁り、その冷たい深みが葉の落ちた暗い色の木々の枝を揺する。

橋の上で雨に会うこともある。わたしは川の下流、川が湖に流れこむ場所を眺めている。夢にはいつも、黒ずんだ古木の柵《さく》に囲まれた湿原があり、壁と屋根をとおして灯の洩《も》れている古い小屋がある。

極上の下着と雨衣《あまぎ》を重ね着しているのでここちよく、暖かいしからだも乾いている。寒い晴れた日のこともあって、そういうときはじぶんの吐く息が見えて、橋には霜が降りている。わたしは、川の上流、ロング・トム・リヴァーの水源があるずっとずっと遠くの山々に連なる、びっしりとはえている密林を見ているのだ。

霜の降りた橋の上にじぶんの名前を書くこともある。ていねいに一字一字書く。「エルマイラ」と霜の上に書くこともあるが、そのときもていねいに書く。

いつもかならず二銃身の16ゲージ散弾銃を持ち、ポケットいっぱいに薬莢《やっきょう》をつめこんでいるが……おそらく、薬莢の数は多すぎる。わたしは十代の少年だから、薬莢がたりなくなることを心配するのは自然なことだ。そこで、多すぎる薬莢のせいでわたしは錘《おもり》をつけられたよう。

鉛をあふれるほどポケットに入れていると、深海ダイバーみたいだ。ポケットにそれほど大量の鉛を入れていると、歩きかたも変になることさえある。

橋の上のわたしはいつも独りで、とても高く飛んで橋を越え湖のほうへ行く真鴨の小さな群が見える。

わたしは道路の右と左を見て、車がくるかどうかたしかめる。もし、車が見えなければ、わたしは真鴨たちを狙《ねら》って撃つが、連中はずっと高いところにいるので、わたしが狙い撃ちしたところでどうということもなく、ただいやがらせをするのがせきの山だ。

車がやってくることもある。その場合はわたしは鴨が川下へ飛んで行くのをただ眺めているだけで、撃つのはおあずけにする。だって、狩猟監視官かもしれないし、保安官補かもしれないからだ。橋から鴨を狙い撃つのは法律違反だという考えがわたしの頭のどこかにあるのだ。

どうなんだろうか。

車が道をやってくるかどうか見ないこともある。鴨たちは狙い撃つには高すぎる。弾薬を浪費することになるのはわかりきっている。だから鴨たちは放っておく。それらの鴨はいつもきまってカナダから到着したばかりの太った真鴨たちの一群だ。

エルマイラの小さな町の中を歩くこともある。まだ朝も早すぎて、雨か寒さでわびしいから、なにもかもしんとしている。

エルマイラの町を歩くとき、わたしはいつも立ち止まってエルマイラ・ユニオン高等学校を眺める。教室はいつも空っぽで暗い。誰もそこへ勉強しにくることはないみたいに思える。だから、明りをつける理由はないから、暗さが破られることはないのだろうと考えてしまう。

エルマイラへ行かないこともある。黒ずんだ木の柵を越えて湿原に踏み入り、神がかった太古の修道場みたいな小屋を過ぎて川に沿って湖まで歩いて行く。よい鴨狩りができるといいなあ、と願いながら。

でも、決して実現しない。

エルマイラは美しいが、狩りをするには、わたしにはついていない。

エルマイラへ行くときは、およそ二〇マイルの道をいつもヒッチハイクだ。

極上の鴨狩り用の衣裳《いしょう》を着こんで散弾銃を手に、寒さのなか、あるいは雨のなかに立っていると、誰かが拾ってくれる。わたしはそういう方法で、あそこへ行くのだ。

「どこまで行くのかい？」車に乗ると、そう訊《き》かれる。散弾銃を王錫《おうしゃく》のように両脚の間に置き、銃身は屋根の方に向けておく。銃はかしいでいるので、銃身は助手席の側の屋根を指していることになるが、助手席にいるのはいつもわたしだ。

「エルマイラです」

コーヒー

ときには人生は、ただコーヒー、それがどれほどのものであれ、一杯のコーヒーがもたらす親しさの問題だということもある。コーヒーについて読んだことがあったっけ。コーヒーはからだによい、と書いてあった。すべての器官を刺戟《しげき》するのだと。

なんか変ないいかただな、それにあまり気持のよいいいかたでもない、とはじめはそう思ったのだったが、ときがたつにつれて、そういういいかたも、それなりに限られたものであっても、意味があると考えるようになった。どういうことか、話そう。

昨日の朝、わたしはひとりの女性に会いにでかけた。彼女のことは好きだ。わたしたちふたりの間にかつてなにかあったにしろ、もうそれはすんだことだ。わたしのことは好きではない。わたしが悪かったんだ、後悔している。

玄関のベルを押して、わたしは階段の上で待った。二階で彼女が動きまわっている音が聞こえた。その音から、彼女は起きるところだとわかった。わたしが起したのだ。

やがて、彼女が階段を降りてきた。近づいてくるのを、わたしは胃袋のなかで感じていた。一歩ごとに、わたしの気持は乱れ、一歩ごとに、彼女は扉を開ける動作に近づいた。わたしの姿を見たが、彼女は悦《よろこ》びはしなかった。

かつて、彼女は悦んだものなのに。先週のことだ。素朴な性格でもないくせに、わたしはなぜ、こんな成行きになったのだろうか、と不思議がったりしている。

「気分が悪いのよ」と彼女はいった。「話はしたくない」

「コーヒーが飲みたいんだ」とわたしはいったが、コーヒーなどこの世で一番ほしくないものだったから、そういったのだ。わたしのいいかたは、まるで誰かべつのひとからの電報、ほかのことはどうでもいいから、とにかくコーヒーを飲みたがっている人物が送ってきた電報を読み上げているみたいに響いた。

「いいわよ」と彼女はいった。

わたしは彼女のうしろから階段を昇って行った。ばかばかしいことだった。彼女はいま服をつけたばかりだった。まだからだにしっくりなじんでいない。わたしは彼女の尻《しり》については、詳しいんだから、ちゃんとわかった。台所へ行った。棚からインスタント・コーヒーの瓶をとると、彼女はそれをテーブルに置いた。カップをそのかたわらにそえる、そして、スプーンも。わたしはカップとコーヒーを見ていた。彼女は水をいっぱい入れた鍋《なべ》をレンジにかけて、鍋の下にガスの火を点《つ》けた。この間彼女はずっとだまっていた。服は自然に彼女のからだにしっくりとなじんだ。わたしはそうじゃない。彼女は台所を出て行った。

それから階段を降りて外へ出て、郵便がきているかどうか見に行った。外で、わたしは郵便物を見かけたおぼえはなかった。階段を昇って戻ってくると、彼女はべつの部屋へ行ってしまった。扉を閉めた。わたしはガスにかかった、水をなみなみとたたえた鍋を眺めた。

湯が沸くまでには一年はかかるだろう。十月だったから、鍋の水は多すぎた。それが問題だったのだ。わたしは水を半分流しに棄《す》てた。

これで、湯も早く沸くだろう。六か月あれば沸くだろう。家はしんとしていた。

わたしは裏手のポーチをのぞいた。ごみの袋がいくつかあった。わたしは目を皿のようにして、容器や野菜の皮などを調べた。彼女がその頃なにを食べていたのか知りたかったからだ。しかし手がかりになるものは一切なかった。

三月になった。湯が沸きだした。このことに、わたしは悦んだ。

テーブルを見る。インスタント・コーヒーの瓶と空のカップとスプーンが葬式みたいに並べてある。一杯のコーヒーを入れるには、これだけの物が必要だ。

墓のような一杯のコーヒーを無事からだのなかにおさめて、一〇分後にわたしはその家から去ったが、そのときわたしは、「コーヒーをありがとう」といった。

「どういたしまして」と彼女はいった。閉ざされた扉の向うで、彼女の声はした。その声はまた一通の電報がとどいたかのように聞こえた。もう、間違いなく立ち去るべきときがきていた。

その日はずっと、コーヒーを入れずに過した。それで気持がらくになった。そして、夜がやってきた。わたしはレストランで食事をして、それからバーへ行った。何杯か呑《の》んで、いく人かと話をした。

わたしたちはバー人間だったから、バー的な事柄を話した。記憶にのこるような話はなにもしない。バーは閉った。午前二時。わたしは外へ出るしかない。サン・フランシスコは霧で寒かった。わたしは霧について考えた。するととても人間的で、はだかにされたような気がした。

もうひとり、女性を訪ねようと思った。親しいつきあいをしなくなってから一年以上もたっていた。一度はとても親密な関係だったのに。このごろはどんなことを考えているのだろうか。

彼女の家へ行った。そこには呼鈴はない。小さな勝利だ。小さな勝利についてはいっさいもらさず憶《おぼ》えておくべきだ。ともかく、わたしはそうしている。

彼女が扉を開けた。からだの前に部屋着をあてている。わたしがそこにいることが信じられない。だがたしかにわたしがきていると認めると、「なんの用？」といった。ずかずかと、わたしは家のなかへ入った。

彼女が向き直りドアを閉めたとき、横顔が見えた。部屋着をきちんとからだに巻きつける気にさえならなかったわけだ。からだの前に部屋着をあてているだけだった。頭から足まで流れるからだの線がぜんぶ見えた。なんだか異様に見えた。夜がすっかり更《ふ》けていたせいかもしれない。

「なんの用？」と彼女はいった。

「コーヒーがほしいんだ」とわたしはいった。ほんとにほしかったのはコーヒーではなかったのだから、またしても「コーヒー」といったのは、なんとも滑稽《こっけい》だった。

彼女はわたしをながめて、それからかすかに顔をそむけた。わたしに会ったことを悦んではいなかった。

米国医師会に「時が癒《いや》す」とでもいってもらおうじゃないか。わたしは彼女のからだの途切れめのない線を見る。

「一緒にコーヒー飲まないかい?」とわたしはいった。「話をしたいんだ。ずいぶん長いこと話をしてないからね」

彼女はわたしを見て、それからかすかに顔をそむける。わたしは彼女の途切れめのないからだの線をじっと見る。これはまずい。

「もう晩《おそ》すぎるわ」と彼女はいった。「あたし、朝になったら起きなくちゃならないの。コーヒーがほしいなら、台所にインスタントがあるわよ。あたしは寝なければならない」

台所の電灯はついていた。廊下の向うの台所をわたしは見た。台所へ行って、またもやひとりきりで一杯のコーヒーを飲む気にはなれなかった。コーヒー一杯ほしいと頼むために、誰の家にも行きたくなかった。

その日がとても奇異な巡礼のために費やされたことに、わたしは気づいた。そんな計画を立てていたわけではなかった。すくなくとも、テーブルの上に、インスタント・コーヒーの瓶が白い空のカップとスプーンと並んで置いてあるところへ行くつもりなどなかった。

春になると青年の心は恋を思う、という。もし、その上に時間が余ったら、おそらくコーヒーを一杯飲みたいと思う余裕ももてるだろうか。

『アメリカの鱒《ます》釣り』から失われた二章

——「レンブラント・クリーク」と「カーセイジ川の凹地」

この二章は一九六一年の初春、冬の終りに、失《な》くしてしまったものだ。あちこちを探しまわったが、ついに出てこなかった。失くなっていることに気づいたときに、なぜすぐにもう一度書き直さなかったのか、とうてい説明できない。まったくの謎《なぞ》だが、いずれにせよ書き直さなかった。そして、あれから八年がすぎたいま、わたしは二六歳の冬に立ち帰ろう。当時サン・フランシスコのグリニッチ通りに住んでいたわたしは結婚していて、赤ん坊の娘がいて、アメリカの姿を描く目的であの二章を書いたが、失くしてしまった。あの二章が見つかるかどうか、ためしにいまふたたび行ってみる。

「レンブラント・クリーク」

レンブラント・クリークはまさしくその名にふさわしい光景で、酷《むご》い冬が訪れる寂《せき》莫《ばく》としたところにあった。クリークは松の木に囲まれた高原に始まる。そこから見える光だけが、クリークから見える唯一《ゆいいつ》の自然光だった。なぜそうなのかというと、高原の草地にあるいくつかの小さな泉から注ぎこむ水を連れて松林の中を流れていくと、そのあとは山ぎわ沿いに続いている、うっそうと木に覆《おお》われた暗い渓谷を流れていったからだ。

クリークには小さな鱒がうんざりするほどいたが、とても荒々しい。人間がクリークに近寄って鱒たちをじっと睨《にら》みつけても、怖《おそ》れるふうさえ見せない。

釣りというものの本来の意味においても、またあるいは実利的な意味においても、わたしがそこへそれらの鱒を釣りにでかけたことはついぞなかった。わたしがそのクリークのことを知っていたのは、ただ、鹿狩《しか》りにでかけたときに、そこでキャンプしたからにすぎない。

そう、たしかにあれはわたしにとって、釣りをするクリークではなく、キャンプに必要な水を汲《く》む場所にすぎなかった。それにしても、必要な水を汲んでくるのはおおかたわたしで、ずいぶん皿洗いもやったような気がするが、それはわたしがティーンエイジャーで、わけ知りの年上の男たちは鹿のいる場所はどこかと考えをめぐらしたり、狩りやその他のことを考えるたしになるらしいウィスキーをちょっぴりやったりで、そういう用事はわたしにやらせたほうがらくだったからだ。「おい、ガキ、ぼうっとしてないでよ、そこの皿をどうにかしないかよ」これは狩猟隊の長老たちのひとりの声だ。彼の声は音に彩《いろど》られた狩りの大理石の径《みち》から聞こえてくる。

わたしはしばしばレンブラント・クリークのことを思う、それがまるで、星までとどく屋根と彗星《すいせい》のほうきさえ見たことのある通廊を持つ世界最大の美術館に展示された一枚の絵のように見えたことを思うのだ。

あそこで釣りをしたのは、たった一度だけ。

持っていたのは30／30のウィンチェスター銃だけで、釣具はなにも持っていなかったから、錆《さ》びた古釘《ふるくぎ》を見つけてきて、それにわたしの幼年時代の亡霊のような白い糸を結びつけ、鹿肉を餌《えさ》にして鱒を釣ろうとした。ほとんど釣りあげたといってもいい。が、しかし水から引きあげる寸前、魚は釘から落ちて、絵のなかへ戻ってしまった。絵はわたしの目のとどかないところへ鱒を連れ去って、その鱒の本来の棲処《すみか》である一七世紀へ、レンブラントという名の男のイーゼルの上へ、連れもどしてやったのだ。

「カーセイジ川の凹地」

カーセイジ川は、荒れ狂う井戸のような泉のところで、地面からごうごうと噴き出していた。それは一二マイルほど広い渓谷を傲慢《ごうまん》な態度で流れていたが、行きつく先はカーセイジ川の凹地と呼ばれた場所で、ふっと地中へ消えてしまうのだった。

川はだれかれに（だれかれというのは空や風やその辺りの木々や、鳥や鹿、それに驚くなかれ、星などもふくめて、ということだ）、じぶんがどれほど偉大な川であるかということを自慢するのが大好きだった。

「おれは大地から吠《ほ》え声を上げて現われ、吠え声を上げつつ大地へ戻る。おれはみずからの母にして、かつ、父である。雨なんぞは一滴もいらねえんだ。見ろ、おれの強くなめらかな白色の筋肉を。おれはおれの未来でもあるぞ！」

カーセイジ川は幾星霜《いくせいそう》こんなふうな調子でとおしてきたのだ。だから、そりゃあ、だれもかれも（だれもかれもというのは空とかそういうものたちだ）すっかりうんざりしていた。

できることなら、鳥や鹿たちはその辺りに近寄らないようにしていた。星たちはもう待つことだけを強いられていたが、その附近では、カーセイジ川が起す風をのぞけば、はっきりときわめて異常な無風状態が見られたのである。

そこの鱒たちですらその川のことを恥じていて、どの鱒も死ぬときがくると悦《よろこ》ぶのだった。あのいやらしい、御大層な川に住むより死んだほうがました、というわけだった。

ある日、そのカーセイジ川が自慢話の真最中に、涸《か》れてしまった。「おれはみずからの……」そこで、ぷっつりと言葉が途切れた。

川は仰天した。地面からはもう一滴も水が出ない、凹地のところは間もなく、子供の鼻水みたいに、地面のなかへちょろりと流れこむだけになってしまった。

水のアイロニーに、カーセイジ川の誇りはあと形もなく消え失《う》せ、渓谷は機嫌をなおした。そこらじゅうを鳥が飛び、事の成り行きを見て喜んだ。一陣の風がおこり、星さえもその夜はいつもより早く姿を現し、その光景を眺めては、うっとりと微笑しているかに見えた。
二、三マイル離れた山に夏の暴風雨がおそってくると、川は援《たす》けにきてくれと雨に懇願した。
「お願いだよ」川はいまや囁《ささや》き声の影みたいな声でいうのだった。「援けておくれ。

鱒たちのために水がいるんだ。死んでしまう。かわいそうじゃないか」

嵐《あらし》は鱒たちを見る。鱒たちは、もう間もなく死んでしまうというのに、事の成り行きをひどく悦んでいるのだった。

だから、暴風雨は、だれかのおばあさんのアイスクリーム用の冷凍器が壊れてしまって、それを修理するのに多量の雨がいるもんで、そちらへ行かねばならないとかなんとか、ひどく凝った話をでっち上げた。「でもさ、二月《ふたつき》、三月《みつき》もすれば会えるかもしれないよ。こられるときには、こっちから電話する」

その翌日、とは、もちろん一九二一年八月一七日のことだが、町の人々だとかいろいろ車でやってきて、かつての川を見てはとうてい解せない様子で頭を振るのだった。ピクニック用のバスケットもたくさん持っていた。

その土地の新聞には、かつてのカーセイジ川の泉と凹地だったところにぽっかりと開いた二つの大穴の写真二枚と、記事が載った。穴は鼻の穴みたいだった。もう一枚の写真には、馬に跨《また》がったカウボーイが片手に傘を持ち、もう片方の手でカーセイジ凹地の底のほうを指さしている姿が写っていた。ひどくまじめな感じで。これは読者をおかしがらせる意図で掲載された写真だったが、そう、たしかに人々はこれを見て笑った。

これが、『アメリカの鱒釣り』から失われた二章だ。以前のとは、文体がすこし違うかもしれない。わたしはいまは三四歳で、あのころよりはいくらか変ったのだから。文章の構成だってやや異っていたかもしれない。一九六一年には書き直してみる気にはならず、一九六九年一二月四日まで、およそ十年も待ってから、その過去にもどり、こうしてこの二章を持ち帰ろうという気になったのはおもしろい。

サン・フランシスコの天気

ある曇った午後、イタリア人の肉屋はひどく歳《とし》をとった女性に一ポンドの肉を売った。だが、老婆《ろうば》が一ポンドもの肉をなにに使うのか？

それほど多量の肉を使うには、彼女は歳をとりすぎていた。もしかしたら、蜂《はち》の巣箱に入れるのかもしれない。家ではからだに蜜《みつ》をいっぱいためこんだ五〇〇匹の黄金の蜂たちがその肉を待ちわびていたのかもしれない。

「きょうはどんなところにしますかね」と肉屋はいった。「いい挽肉《ひきにく》がありますよ。赤身で」

「そうねえ」と彼女はいった。「挽肉じゃあね……」

「赤身ですよ。あっしがじぶんで挽いたんで。あっしは赤身をいっぱい使うからね」

「挽肉じゃあ、どうも……」と彼女はいった。

「きょうは挽肉むきの日だと思うけどねえ。外を見てごらんよ。曇ってる。雲のなかには雨が入ってるんだ。あっしなら挽肉にするね」と彼がいった。

「やめとく」と彼女はいった。「挽肉はいらないのよ、それに、雨にもならないと思うしね。お陽さまが出てきて、きっといい天気になる、だから、レバーを一ポンドちょうだい」

肉屋は唖然《あぜん》とした。ばあさんたちにレバーを売るのは好かなかった。とても気持が動揺してそわそわしてしまうのだ。それ以上そのばあさんとは口をききたくなかった。

彼は大きな塊りから、ためらいがちに一ポンドのレバーをスライスして、白い紙に包んで、茶色の袋に入れた。これはひどく不快な体験だった。

金を受けとり、釣銭をだすと、鶏肉《とりにく》の置いてある場所へ行って、気持を落ち着けようとした。

じぶんのからだの骨をさながら船の帆のように使って、そのばあさんは表の通りへ出た。彼女はその先がひどく急な坂になっているところまで、戦利品ででもあるかのようにレバーを運んで行った。

坂を登ったが、高齢のために苦しかった。疲れてしまって、坂の上まで行くあいだには、たびたび立ち止まって休まなければならなかった。

この老婆の家は坂の上にあった。曇り日を映しだす張り出し窓のある、サン・フランシスコ風の高い家だ。

彼女はハンドバッグを開ける。それは秋の小さな野のようなもので、林檎《りんご》の老木から落ちた枝のかたわらに、鍵《かぎ》があった。

彼女は扉を開ける。いとしい友、たよれる友だ。扉に向ってうなずき、家に入ってからは、長い廊下の奥にある部屋へ歩をはこぶ。そこにはあふれるばかりの蜂たち。

部屋には、ところかまわず、隙間《すきま》もないほど多くの蜂がいた。椅子《いす》の上に蜂。死んだ両親の写真の上にも蜂。カーテンの上にも蜂。かつて一九三〇年代に耳をかたむけていた古いラジオの上にも蜂。櫛《くし》やヘアブラシの上にも蜂。

蜂たちは彼女に寄ってきていとしげにとりかこむ。彼女はレバーの包みをあける。そして曇った銀の皿にそれを置いたとたん、皿はたちまち晴れの日に変った。

こみいった銀行問題

金を裏庭に埋めておくのも面倒にはなっていたが、ほかにも事情があって、わたしは銀行に口座を開くことにした。ほかの事情とは二、三年も前のことだが、金を埋めていたら、人間の骸骨《がいこつ》がでてきたのである。

骸骨は片手にシャベルの残骸を持ち、もういっぽうの手には半分とけてなくなったようなコーヒーの罐《かん》を持っていた。コーヒーの罐にはおそらくかつては金であったらしいと思える錆《さ》びの粉のような物質が詰まっていた。これが、わたしが銀行口座を持つことにした理由だ。

けれども、それもたいがいすらすら行くわけではない。あそこで並んで待っていると、おおかたきまってわたしの前には、こみいった銀行問題を抱えている人々がいる。そこに立っているわたしは、アメリカ経済の漫画的十字架にかけられてじっとこらえていなければならないのだ。

たとえば、こんな具合だ——わたしの前に三人いる。わたしは小額の小切手を現金化したい。一分もあれば、わたしの用はすむ。小切手はすでに裏書きされている。それはわたしの手のなかにあって、出納係の方角に向けられている。

いま係が相手にしているのは五〇歳の女性である。暑い日なのに、長い黒いコートを着ている。コートを着て快適な気分のようだが、彼女は妙なにおいがする。わたしはおやと思うが、ただちにそのにおいがこみいった銀行問題の最初の徴候だということに気づく。

と、彼女はコートのひだに手を入れて、酸《す》っぱくなった牛乳や一年ほども放っておかれた人参《にんじん》をいっぱいに蔵《しま》いこんでいる冷蔵庫の影をとりだす。その影を、普通預金の口座に預けたいといっている。すでに、用紙の記入もしてある。

わたしは銀行の天井を見上げて、それがシスティナの教会堂だと思ってみる。

老婆《ろうば》はかなり執拗《しつよう》に抵抗したが、連れ去られた。相当量の血が床に落ちている。彼女が警備員の耳を嚙《か》み切ったからだ。

そのような気力には敬服すべきなのだろう。

わたしの手に握られた小切手は一〇ドルのものだ。

順番を待つつぎのふたりは、じつはひとりだ。シャム双生児なのだが、それぞれじぶんの口座を持っている。

ひとりは普通預金の口座に八二ドル預けたいが、もうひとりのほうは普通預金口座を解約したい。出納係が三五七四ドルを数えて渡すと、彼はズボンの脇《わき》ポケットにそれを納《しま》う。

こういうふうに、あれやこれやで時間がかかる。わたしはふたたび天井を見上げてみるが、もうシスティナの教会堂には見えない。わたしの小切手は一九二九年に切られたもののように汗まみれだ。

わたしと出納係の間にいる最後の人は、完璧《かんぺき》に無名的な印象だ。徹底的に無名的だから、そこにはいないみたいだ。

当座預金口座に入れたいといって、彼は二三七枚の小切手をカウンターに置く。合計で四八万九〇〇〇ドルだ。普通預金に入金する小切手は六一一枚ある。こちらは合計一七五万四九六一ドル。

成功の大吹雪さながら、彼の小切手がカウンターをすっかり覆《おお》った。出納係は長距離走者のごとき覚悟で、この男のために銀行業務にとりかかるが、いっぽうわたしは、やはり裏庭にいた骸骨は正しい方法を選んだのだと思いつつ、そこに立っているのだ。

シンガポールの高い建物

サン・フランシスコのこの日、美しいものといったら、シンガポールの高い建物だけ。わたしはすごく心がふさいで、まるで液体鉛筆みたいにしか機能しないじぶんの心を見つめながら道を行く。

若い母親が通りかかる。彼女は娘に話しかけているが、娘はまだとても幼なすぎて喋《しゃべ》ることはできないはずだが、でも、娘は喋っている、母親に向ってなにかについてとても夢中になって話しているのだ。娘はとても小さいので、わたしは彼女がなにをいっているのかよくわからない。

だって、ほんとに小さな子供なのだ。

と、やがて、母親が答えるのだが、それがなんとも奇妙な啓示をともない、わたしの一日を爆破してしまうのだ。「シンガポールの高い建物だったわよ」彼女がこの小さな娘にそういうと、娘はキラキラと輝いて音をだす一セント銅貨みたいに、とても心をこめて答えるのだった。「そうよ、あれはシンガポールの高い建物だった！」

無限の三五ミリ・フィルム

どうして彼は彼女と一緒にいるのか、人々にはわからない。見当もつかない。彼はとてもハンサムで、彼女はとても器量がわるい。「彼女のどこがいいんだろう？」と人々はたがいに、またそれぞれじぶんに訊《たず》ねるのだ。料理がうまいわけではないのだから、料理のおかげじゃない。作れるものといったら、まあまあというところのミートローフだけなのだから。火曜日の夜はいつもそれで、水曜日の彼の弁当はミートローフ・サンドイッチだ。

答の手がかりは、きわめてよくあることながら、ふたりが一緒に寝るベッドにかくれているのである。彼女は彼がじぶんの性的な夢の映画を映す映画館になるのだ。彼女のからだは生命ある劇場の椅子《いす》のやわらかな列で、それが想像力の暖かなスクリーンともいうべき膣《ちつ》にまで連なっているが、そこで彼は彼が目にして欲望を抱くありとあらゆる女たちと、つかの間の水銀の映画のようにまじわるのだ。でも、彼女はそんなことはちっとも知らない。

彼女が知っているのは、彼をとても愛していること、彼がいつも彼女を悦《よろこ》ばせいい気持にさせてくれることだけだ。五時になれば彼が仕事から戻ることを考えて、午後四時ともなると胸が躍る。

彼は彼女のなかで、数えきれないほどのちがった女たちとまじわってきた。彼女は彼のことだけを思いながら、彼の手に触れられて満足した小さな映画館さながらに横たわり、彼の夢のすべてを実現する。

「彼女のどこがいいんだろう？」と相変らず人々はたがいに、またそれぞれじぶんに訊ねる。ぼんやりした者たちだ。最終的解答はいとも単純だ。すべては彼の想像力にあるのである。

スカルラッティが仇《あだ》となり

「サンノゼの一間きりのアパートでヴァイオリンの稽古《けいこ》をする男と住むのは、ひどい難儀なのよ」空っぽの拳銃《けんじゅう》を手渡して、彼女は警察にそういった。

天の鳥たち

こんなことなら、いっそのこと
陽もささず
おいらのすすり泣きも
天の鳥たちにきこえない
暗いほこらに
住んだほうがまし

――民謡

そうなのだ。子供たちはここ何週間もテレビのことで文句たらたらだ。映像はもうぼやけて、その夜の番組の画像のへりのところをジョン・ダン〔一五七二―一六三一。イギリスの形而上派詩人。宗教家。『周年追悼詩』があれほど好んで語った死が足早に進んでいた。ときおり、酔いどれの墓場みたいな静電気の線がチラチラと画像の上で躍るのも見えた。

ヘンリー氏はそぼくなひとりのアメリカ人であったが、彼の子供たちは危機に瀕《ひん》していた。彼は保険会社につとめていて、死者たちを生ける者たちから引き離しておく仕事をしていた。会社では、彼の将来はきわめて明るい、という評判だった。

ある日、仕事から帰ってくると、子供たちが待ちうけていた。子供たちは最後通《つう》牒《ちょう》を言い渡した——新しいテレビを買ってくれ、さもなければ、おいらたちは非行少年になってやるぞ、と。

子供らは五人の非行少年が老婆《ろうば》を強姦《ごうかん》している写真を見せた。非行少年のひとりは自転車のチェーンで老婆の頭を殴りつけていた。

ヘンリー氏はただちに子供らの要求をのんだ。なんでもするよ、ともかくその写真は早くしまってくれ。そこへ彼の細君が入ってきて、子供たちが生まれてこのかたでも、もっとも優しい言葉をかけたのだった。「子供たちに新しいテレビを買ってやるんですって？　あなた、いったいどういう人なの、人間の姿をしたオニじゃないの？」

翌日、ヘンリー氏はフレデリック・クロウ百貨店の前にたたずんでいたが、ウィンドウには大きな札が掲げてあった。札には詩的な言葉が書かれていた。

テレビジョン　安売り

店のなかへ入って、彼はすぐに臍帯管《さいたいかん》が内蔵されている、四二インチ画面のヴィデオおしゃぶりを見つけた。店員がやってきて、「いらっしゃい」といって、それを売りつけた。

「もらうよ」とヘンリー氏はいった。

「現金ですか、つけですか？」

「つけだよ」

「うちの店のクレジット・カードはお持ちですか？」店員はヘンリー氏の足元を見下した。「ないでしょうなあ」と彼はいった。「じゃあ、お名前と住所だけうかがっときましょ。テレビはすぐに配達します」

「わたしの信用調査は？」

「全然問題ないですよ」と店員はいった。「クレジット課があなたをお待ちしてますよ」

「ああ、そう」とヘンリー氏はいった。

店員は店のずっと奥にあるクレジット課のほうを指さしている。「ほら、あそこで待ってますよ」

店員のいったとおりだった。美しい女性が机にすわっていた。じつにきれいなひとだった。煙草《たばこ》の広告やテレビで見る美しいすべての女性をモンタージュしたみたい。こりゃすごい。ヘンリー氏は煙草をとりだし火をつけた。彼だってばかじゃない。

その女性はにっこりして、「ご用件はなんでしょうか？」といった。

「つけでテレビを買いたいんで、おたくにクレジットの口座を開こうかと思って。わたしは堅い仕事をしてまして、子供は三人、家と車の分割払いの金を払ってるところです。わたしの信用はだいじょうぶ」と彼はいった。「だって、わたしはすでに二万五〇〇〇ドルの借金があるわけだから」

ヘンリー氏は相手が彼の信用等級を調べるために電話をかけるとか、二万五〇〇〇ドルのことは嘘《うそ》ではないかどうかを確かめるために、なにか調べるだろうと予想した。

彼女はなにもしない。

「なにも心配はいりませんよ」と彼女はいった。ほんとにすばらしい声だ。「テレビジョンはあなたのもの。ちょっとこちらへ入って下さいな」

と彼女はいい感じのする扉のついた部屋を指した。実際、扉はなかなか刺激的でさえあった。重厚な木の扉で、みごとな木目が流れているように見える。日の出の砂漠

で幾百万年が過ぎ去って行く間に、かれの手はその扉の形を夢見ていたのである。海

把手《とって》は純銀だ。ヘンリー氏がかねがね開いてみたいと思っていた扉なのである。

に偶然見えた地震の亀裂《きれつ》のような木目。木目は明るく光に照らしだされている。

扉の上に標示があった。

鍛冶屋《かじや》

扉を開けてなかへ入ると、ひとりの男が彼を待っていた。男がいった。「靴を脱いで下さい」

「用紙にサインするだけですよ」とヘンリー氏はいった。「堅い仕事なんだし。期限どおり払いますよ」

「そのことはいいから」と男がいった。「ただ靴を脱ぎゃいいんですよ」

ヘンリー氏は靴を脱いだ。

「靴下も」

彼はいわれたとおりにしたが、それをべつに異常なこととも思わなかった。なぜなら、いずれにしろ彼にはテレビを買う金はないのだったから。床は冷たくはなかった。

「身長はどのくらいですかね？」と男は訊《たず》ねた。

「五フィート一一インチ」

男はファイル・キャビネットのところへ行って、五フィート一一インチと記された抽斗《ひきだし》を開けた。ビニールの袋をとりだして、抽斗を閉じる。ヘンリー氏は男に話してきかせたい笑い話を思いついたが、あっという間に忘れてしまった。

男は袋を開けて、巨大な鳥の影をとりだした。それがズボンかなにかであるみたいに、男は影をひろげる。

「なんです?」

「鳥の影さ」と男は答えると、ヘンリー氏が腰かけているところへやってきて、彼の足のかたわら、床の上に影を置いた。

それから、男は異様な形の金槌《かなづち》を手にしてヘンリー氏の影から釘《くぎ》を抜いた。影をかれのからだに止めつけていたその釘をだ。男はていねいに影をたたむ。ヘンリー氏のそばの椅子《いす》にそれを置く。

「なにをするんです?」ヘンリー氏は訊ねた。怖かったわけじゃない。ただ好奇心から訊《き》いた。

「影をとりつけてるんですよ」と男は答えて、彼の足に釘で影をうちつけた。すくなくとも、痛みはなかった。

「さあ、これでいい」と男はいった。「テレビの支払いをするには二四か月ありますからね。払いが済んだら、影をとり替えます。なかなか似合うや」

ヘンリー氏はじぶんのからだから鳥の影がさしているのを見下していた。悪くないや、とヘンリー氏は思った。

部屋をでると、机のところにいたあの美しい娘がいった、「まあ、お変りになって」ヘンリー氏は彼女が話しかけてくれるのがうれしかった。彼は長い結婚生活の間に、性というものがいったいどのようなものであったかを忘れてしまっていたのである。ポケットに手をつっこんで煙草を探したが、全部吸ってしまったことがわかった。ひどくうろたえてしまった。娘はなにか悪いことをした子供を眺めるみたいに、じいっとその彼を見つめるのだった。

冬の絨緞《じゆうたん》

わたしの資格は、だって？　もちろん。資格証明書はちゃんとポケットにある。このとおりさ。わたしにはこのカリフォルニアで死んだ友人が何人かいて、わたしはわたしなりに彼らの死を悼《いた》む。フォレスト・ローン〔南カリフォルニアにある墓地。女優の墓などがあって観光客が訪れる〕にも行って、そこでなにかに熱中している子供みたいに跳びまわってあそびもした。『囁《ささや》きの霊園』、『アメリカ的な死』、『経帷子《きようかたびら》のなかの財布』、それに気に入りの『いくつもの夏がすぎ、白鳥は死ぬ』も読んだ。死体置場の前で、霊柩車《れいきゆうしや》のかたわらに立って、形而上《けいじじよう》的な戦争の将校たちのようにトランシーヴァーを使って葬儀の準備をする指揮官たちを眺めたことだってある。

そう、そう、こんなこともあった。いつだったか友達とサン・フランシスコのドヤ街を歩いていたら、ちょうどホテルから屍体《したい》が運びだされるのに出くわした。屍体は白いシーツに好ましい方法で包んであって、それを四、五人の中国人のエキストラが眺めている。そして、法律によりサイレンを鳴らすことも、時速三七マイル以上で走ることも、路上ではどのような積極的な行動にでることも禁じられているきわめてのろい救急車が、その前に駐車していた。

わたしの友人は屍体が目の前を通ったとき、その婦人の、もしくは紳士の屍体を見て、「死んだってことは、あのホテルに住むよりはちょっとましになったってことだ」といった。

ごらんのとおり、わたしはカリフォルニアにおける死についてはエキスパートなのだ。わたしの資格はどのような査閲にだってたえうるものだ。マリン郡に住む大金持の女性のところで庭師として働くわたしの友人から聞いたことを話したっていい。この女性にはとても深く愛している一九歳の犬がいたが、犬は老衰で死ぬのに大変な時間をかけて死ぬことによって彼女の愛に応《こた》えた。

わたしの友人が仕事に行くと、この犬は日ごとに少しずつ死んでいるのだった。この犬は死ぬべき適切な時期をとっくに過ぎてはいたが、あまりにも長いこと死にかけの状態が続いてしまったので、ついに死への道を見失ってしまったのである。

こういうことはこの国の老人たちにもよく起ることだ。彼らはすっかり歳《とし》をとって、あまりにも長いこと死とともに暮すから、ほんとうに死ぬときがやってきたときには、道に迷ってしまう。その先ずっと長いこと迷い子でいることもある。彼らがそんなふうに生き長らえているのを見るのは怖《おそろ》しい。ついには、彼らじしんの血液の重みが彼らを圧《お》し潰《つぶ》す。

さて、さっきの女性だが、彼女はもう犬の老衰の苦しみを見ていることに耐えられなくなり、獣医を呼んで、犬を眠らせてほしいといった。

彼女はわたしの友人に犬の柩《ひつぎ》を造るようにいうと、彼はカリフォルニアの庭師の仕事にはそれも仕事の一つとして追加されているのだろうと思い、いわれたようにした。

死の獣医は彼女の邸宅へ車で赴き、間もなく家のなかへ入った、小さな黒い鞄《かばん》をたずさえて。それがまちがいだった。パステルカラーの大きな鞄であるべきだったのだ。その小さな黒い鞄を見ると、彼女ははっきりと青ざめた。その不必要ともいうべき現実《リアリティ》に彼女は怯《おび》えてしまい、獣医には気まえのいい金額の小切手をやって帰らせてしまった。

ああ、だが、獣医を帰らせたところで、犬の根本的な問題が解決されたわけではなかった。犬はもうあまりにも耄碌《もうろく》して、死はすでに彼の生の情況になり、死ぬという行為にさえ近づけないのだった。

その翌日のこと、犬は部屋の片隅に行ったまま、そこを離れることができなくなった。その場にじっと何時間も立ちつくしていた。やがて、疲労も限度をこえ倒れてしまった。倒れたのはさいわいにも、ちょうどロールス・ロイスの鍵《かぎ》を探しに、その老女が部屋に入ってきたときだった。

部屋の隅でその犬がのら犬のように転っているのを見ると、彼女は泣きだした。犬の顔はまだ壁に押しつけられたまま、そして、人間とあまり長く一緒に暮すと、犬にその人間たちの最悪の性質がうつってしまうものだが、そういう場合に見られる、なんかこう人間みたいな表情で、目に涙を浮かべていた。

彼女は女中に犬を犬専用の敷物へ運ばせた。犬は、蔣介石《しょうかいせき》が敗れる以前の中国で仔犬《こいぬ》だったときからずっとその上で眠ってきた中国の敷物をもっていたのだ。その当時でさえ、すでに一つか二つの王朝時代を生き延びたこの敷物はアメリカのドルで一〇〇〇ドルの値打ちがあった。

いまでは、敷物の値打ちはもっと高い。二、三百年間くらいどこかの城に蔵《しま》っておかれた場合の傷《いた》みかたより摩損がひどいわけではないのだから、この敷物の状態はかなりいい。

老女はふたたび獣医を呼び、獣医はいろんな小道具の入った小さな黒い鞄をさげて到着したが、部屋の片隅にはまりこんででられなくなってしまうほどの長い長い歳月のすえに見失ってしまった死への帰り道は、いかにして探せばよいか。

「あなたの犬はどこです？」と彼はいった。

「じぶんの敷物の上よ」

犬はぐったりと疲れて、美しい中国の花だとか、その他の異国の世界のいろいろなものの上に、のびていた。「敷物の上でやってちょうだい」と彼女はいった。「彼もそれを悦《よろこ》ぶと思うわ」

「いいですとも」と彼はいった。「心配なさることはない。彼はなにも感じません。苦痛はありません。眠るのと変りませんね」

「さようなら、チャーリー」と老女はいった。犬にはもちろんこれは聞こえなかった。犬は一九五九年このかた、つんぼになっていたのだ。

犬に別れを告げると、老女は寝室へ行った。獣医がその小さな黒い鞄を開けようとしているところで、彼女は部屋をでた。獣医には腕ききのPRマンが必要だったのだ。その後、犬を納めるためにわたしの友人が柩を家のなかへ運びこんだ。女中が遺体を敷物に包んでおいた。老女は犬と一緒に敷物を埋めること、薔薇園《ばらえん》のそばの墓にその頭を西の中国の方向に向けて埋めるようにといいはった。わたしの友人はロサンジェルスのほうに頭を向けて犬を埋めた。

柩を外へ運びだすとき、かれは一〇〇〇ドルの敷物のなかをそっと覗《のぞ》いてみた。見事な図案だ、とひとり言をいった。掃除機をちょっとかけさえしたら、もうそれで新品同様になるじゃないか。

わたしの友人はセンチメンタリストとして知られてはいない。墓に近づいた彼は、ばかな死犬《しにいぬ》だ！　とひとり言をいった。こんちくしょうの、死犬だ！

「でもさ、やっちゃったよ」と彼はわたしにいった。「犬と一緒に敷物を埋めちゃったんだけど、でも、なぜそうしたのかじぶんでもわからないのさ。冬の夜雨が降ると、犬を包んでいる、墓のなかのあの敷物のことを考えるんだ」

アーネスト・ヘミングウェイのタイピスト

もうまるで宗教音楽みたいなんだ。友人がニューヨークから帰ってきたのだが、そこでアーネスト・ヘミングウェイのタイピストにタイプを打ってもらった。

彼は売れてる作家だから、最高のタイピストを頼んだのだが、彼女はなんとアーネスト・ヘミングウェイのタイピストだったのだ。はっと息をのむような話、沈黙がきみの肺を大理石に変えてしまうような話ではないか。

アーネスト・ヘミングウェイのタイピストだってさ!

彼女はすべての若き作家たちがみる夢を現実にしてくれる、ハープシコードのような手、完璧《かんぺき》にはりつめた熱情的な視線、そして、それに伴うのは彼女がタイプを打つ、深遠なる音である。

彼は彼女に時間給一五ドルを払った。これは鉛管工や電気技師の賃金よりも高い。

一日一二〇ドル！　タイピストで！

彼女はなんでもやってくれるんだぜ、と彼はいった。原稿を渡すと、まるで奇跡が起ったみたいに、それは見目よくも正しい綴《つづ》りに直されて、泣けてくるほどにすばらしい句読点をつけられ、ギリシャの神殿のようにも見える段落を持って戻されてくる。

彼女は文章を終らせてもくれるのだ。

彼女はアーネスト・ヘミングウェイの

彼女はアーネスト・ヘミングウェイのタイピストだ。

サン・フランシスコYMCA讃歌《さんか》

むかしむかし、サン・フランシスコに、人生の高雅を、とりわけ詩を好む男がおりました。彼はよい韻文が好きなのでした。

彼はじぶんの趣味にかまける余裕があった。というのは彼は働く必要がなかったからである。なぜなら、彼の祖父が一九二〇年南カリフォルニアでかなりの利益をあげて運営されていたある私立の精神病院に投資したおかげで、恒常的にけっこうな収入があったからである。

経営は黒字で、サン・ファナンド・ヴァレー、ターザナの近郊にその病院はあった。とても精神病院には見えない、という類《たぐい》の一例だ。花々、それもおもに薔薇《ばら》にかこまれて、べつのなにかに見えた。

毎月、きまって一日と一五日に、その日に郵便の配達がないときですら、小切手がきた。彼はパシフィック・ハイツに家を持っていたが、でかけて行っては、さらに詩を買いこんでくるのだった。もちろん、詩人に実際に会ったことはないのだった。それはちょっと度はずれではないか。

ある日、ただ詩を読んだり詩人が朗読するのをレコードで聴いたりしているだけでは、彼の詩を好む心はじゅうぶんに表現されているとはいえないと考えた。そこで、家のなかの鉛管類をはずしてしまって、それらをすべて詩で置き換えようと決めた。そして、実行に移したのである。

水を止め、水道管をとり除いて、彼はそこにジョン・ダンを設置した。水道管たちはあまり嬉《うれ》しそうではなかった。浴槽をとりはずして、そこにウィリアム・シェイクスピアを置いた。浴槽はなにが起こっているのか見当がつかなかった。台所の流し台をはずすと、かわりにエミリー・ディキンソンをはめこんだ。流し台はまったくわけがわからず、しげしげとこちらを睨《にら》み返すばかり。洗面所の流しもとりはずして、そこにはウラジミル・マヤコフスキーを入れた。水は止めてあったのに、洗面所の流しはワッと哭《な》きだした。

湯沸し器もはずしてしまい、そこにはマイケル・マクルアの詩をとりつけた。湯沸し器はすぐに精神的発作をおこしたと思われるほどにとり乱した。さいごに、彼は便器をとりはずして、そこにはあれこれあまり名の知られていない詩人たちをそなえつけた。便器は亡命しよう、と考えた。

さて、いよいよ仕上りを見るのだ、驚異の作業の成果を楽しむ時がきた。クリストファー・コロンブスのくだらない西へのあの航海なぞ、彼の仕事にくらべたらほんとにとるにたりない。彼はふたたび水道の元栓を開けて、現実化された彼の夢のありさまを調べてみることにしたのである。彼はしあわせな男であった。

「風呂《ふろ》に入ろうかな」彼はそういった。祝うのだ。そこで、ウィリアム・シェイクスピアの風呂を浴びるために、マイケル・マクルアを温めてみたのだが、その結果というのは、彼が予想していたものとは違うのだった。

「じゃあ、どうせなら皿も洗ってしまおうかな」と彼はいった。そこで「この世ののならぬ酒を呑《の》み」のなかで皿を洗ってみたところ、その液体と台所の流し台にはかなりの相違があった。絶望しそうだ。

トイレを使おうとしたものの、二流詩人たちはてんで役に立たない。ウンコをしようと思って坐《すわ》ってみたら、彼らはじぶんたちの出世のことなどについてベチャベチャと喋《しゃべ》るのだ。二流詩人のひとりは旅巡《たびまわ》りのサーカスにいたペンギンのことを書いて一九七篇のソネットをしあげた。彼はこの作品はピューリッツァー賞をもらう可能性があると感じていた。

　不意に、男は詩が鉛管類のかわりを果たせないことを悟った。よくいう、光明を見た、というやつだ。彼は寸秒をおかず、詩をとりはずし、鉛管を元へ戻そうと決心した。流し台や浴槽や湯沸し器や便器も。

「思ったようには行かなかったな」と彼はいった。「鉛管たちを元へもどさなければならない。詩はとりはずす」裸で挫折の明りのただなかにたたずんでいると、そう考えることは道理にかなっていると思われた。

　ところが、いざはじめてみると最初よりも多くの困難につきあたった。詩たちがそこを動きたくないというのだ。以前鉛管たちが置かれていた場を占領して、彼らはおおいに満足していたのである。

「あたしはすてきな台所の流し台だわ」エミリー・ディキンソンの詩はそういった。

「便器でいると、おれたちはじつにカッコイイ」と二流詩人たちはいうのだった。

「水道管のわたしは崇高であるぞ」ジョン・ダンの詩はそういった。

「わたしは完璧《かんぺき》な湯沸し器さ」とマイケル・マクルアの詩がいった。

　ウラジミル・マヤコフスキーが風呂場で新しい蛇口のうたを歌う、苦悩を超えた蛇口のうただ。ウィリアム・シェイクスピアの詩はもうただニコニコしていた。

「そりゃ、おまえさんたちはそれで申し分なく具合がいいかもしれん」と男はいった。「でも、わたしは鉛管を必要としている。本物の鉛管をな。わたしが本物ということばを強調したのにお気づきか？　本物のだ！　詩の手には負えないよ。現実を見つめろ」と男は詩たちに向ってそういった。

けれども、詩たちはがんとして動かない。「おれたちはどかないよ」男は警察を呼ぶぞといった。「文盲めが、やれやれ、おれたちをブチこんでみな」と詩たちは声をそろえていうのだった。

「消防隊を呼ぶぞ！」

「焚書《ふんしょ》主義者め！」詩たちは怒鳴った。

男は詩たちにいどんだ。喧嘩《けんか》なんてはじめてだった。彼はエミリー・ディキンソンの詩の鼻柱を蹴《け》った。

いうまでもないことだが、マイケル・マクルアとウラジミル・マヤコフスキーの詩たちはツカツカと歩み寄って、それぞれ英語とロシア語で「かくのごときことは許せない」というと、男を階段から突き落した。男は了解した。

そう、これは二年前に起ったことだ。いまじゃこの男はサン・フランシスコのYMCAに住んでいて、そこがひどく気に入っている。彼が風呂場にいる時間は誰よりも長い。夜になると風呂場へ入り、電灯を消して独り言をいっている。

きれいなオフィス

　その前を初めて通ったときには、あれは、机やタイプライターやファイル・キャビネットがあって、電話が鳴り、人々が電話で応答しているというふつうのオフィスだった。五、六人の女性の働く姿があったが、彼女たちにはこれといってアメリカの何百万人というオフィス労働者から区別できるような特徴はなかったし、ひとりとして美しくもなかった。

　そのオフィスで働いている男たちはみんな中年で、若いときはハンサムだったろうと想像させるようなところは微塵《みじん》もなかった。そればかりか若いときがあったとさえ思えなかった。こちらがひとり残らず名前を覚えようとしてもすぐに忘れてしまうようなタイプだ。

　連中はそのオフィスでやるべきことをやっていた。窓にもドアの上にもそれがどういうオフィスなのかを示す何の標示もないので、わたしは彼らがそこでなにしていたのか、ついにわからなかった。どこか別のところに本社のある大会社の支社だったのかもしれない。

働いている人々はじぶんたちの役目を承知しているようだったから、わたしは仕事の行き帰り、日に二度そこを通ったが、それ以上疑問を抱くことはなかった。

一年ほど過ぎたが、そのオフィスは変化しなかった。人々も前と変らず、一定量の作業が行われていた。この宇宙に存在する単にひとつの小さな場所にすぎなかった。

ところがどうだ、ある日仕事へ向う途中そこを通りかかると、そこで働いていたぱっとしない女たちはみんないなくなっていた。まるで大気じしんが彼女らを転職させたかのように、姿が消えていた。

彼女らの痕跡《こんせき》さえなく、かつて彼女らがいた跡には六人のとても美しい娘たちがいた。ブロンドとかブルネットとかいろいろで、それぞれの美しい顔とからだ、あれやこれや胸も躍るような女っぽさ、からだに合った洒落《しゃれ》た服。

大きなやさしい乳房たち、小さな快い乳房たち、そして誘惑的なお尻《しり》たち。見ると、そのオフィスのなか、あらゆるところで、女の形をしたすてきな光景があったのだ。

なにが起ったのだ？　以前の女たちはどこへ行ってしまった？　この女たちはどこ

からきたのか？　みんなサン・フランシスコに来てからまだ日も浅いという印象をあたえた。こんなことを考えたのは誰だ？　これこそフランケンシュタインの究極的な底意だったのか？　なんということだ、わたしたちは全然見当違いをしていたわけではないか？

週に五日あそこを通って、じっと窓の中を覗《のぞ》きこんでは、あの美しいからだたちはあそこでなにをしているのだろうかと想像しているうちに一年たってしまった。

あそこの社長、どいつが社長なのかてんでわからないのだが、ともかく社長かなんかの妻が死んだので、これがその社長かなんかの長い歳月の退屈に対する復讐《ふくしゅう》なのかもしれない、いわばこれでオアイコだ、ということかな。もしかしたら、ただ彼は毎晩テレビを見るのに飽きてしまっただけのことか。

なにがあったのか、わたしにはわからないだけか。

長いブロンドの髪をして、電話に出ている娘がいる。ファイルの抽斗《ひきだし》になにかをしまっているのはかわいらしいブルネット。なにかを消しゴムで消してる、完璧《かんぺき》な歯並びのチアリーダータイプもいる。一冊の本をかかえてオフィスの反対側へ歩くのは、エキゾチックな感じのブルネットだ。とても大きな乳房の、神秘的な小柄な娘がひとり、タイプライターに紙を巻きこんでいる。すばらしい口と壮麗なお尻ののっぽの娘、封筒に切手を貼《は》っている。
それはきれいなオフィスだ。

庭はなぜ要るのか

行ってみたら、またしても連中はライオンを裏庭に埋めていた。例のごとく、大急ぎで掘られた墓で、ライオンを入れるには小さすぎて、無能をきわめた掘りかただ。連中はいい加減な小さな穴にライオンを押しこめようとしているのだった。

ライオンは例のごとくかなり平然としていた。過去二年間に少なくとも五〇回は埋められたから、裏庭に埋められることになれてしまったのだ。

はじめてライオンが埋められた日のことをわたしは思いだす。どういうことが起こるのか、ライオンは知らなかった。その当時は、いまより若いライオンだったから、恐怖におののき、頭も混乱してしまった。でもいまでは、もうあのときより成長していたし、もう幾度も埋められてきたから、なにが起こるか承知している。

連中が彼の前足を胸の上で組んで、それから顔の上に土を投げつけはじめたが、ライオンはぼんやりと退屈しているように見えた。どだいだめだよ。ライオンはその穴には絶対に入りきらない。これまで裏庭に掘られた穴にちゃんと入れられたことは一度もなかったし、この先も成功することは決してないだろう。連中はいかにしてもそのライオンを埋めるのにじゅうぶんな大きさの穴を掘ることができなかったのである。

「やあ」とわたしはいった。「穴が小さすぎるねえ」

「やあ」と連中はいった。「そんなことないさ」

それがこの二年間のきまった挨拶《あいさつ》になっていた。

ライオンを埋めるためにすてばちになって苦闘する彼らを、わたしはおよそ一時間そこで眺めていたが、¼分しか埋めることができなかった。彼らはうんざりして諦《あきら》めると、穴が充分に大きく掘れなかったことについて、互いに責めあった。

「来年はここを庭園にでもしたら?」とわたしはいった。「この土だったら、いい人参《にんじん》なんかが育つんじゃないかな」

彼らはそんないいかたがすごくひょうきんだとは思わなかった。

年寄りバス

わたしは誰もがすることをする。つまり、サン・フランシスコに住んでいる。ときには、母なる自然の条件ゆえに、どうしてもやむをえずバスに乗る。きのうのことが、その一例だ。わたしの脚の本務の限界を超える場所、すなわちずっと遠くのクレイ通りまで行きたかった。わたしはバスを待った。

つらくはなかった。暖かな秋の日で、空は過激なほど晴れ渡っている。ひとりの老《ろう》婆《ば》がやはりバスを待っていた。そんなこと、べつにどうってことない。彼女は大きなハンドバッグを持って、野菜の皮のようにぴったりした手袋をはめていた。

オートバイに跨《また》がって、ひとりの中国人がやってきた。わたしはぎくりとした。中国人がオートバイに乗る、ということをそれまでに考えてみたことがなかったのだ。現実というのはときに、あの老婆の手の野菜の皮のごとく、ひどくきつい、難儀なものだ。

バスがきて、わたしは嬉《うれ》しかった。バスがくると、ある種の幸福感がわくものだ。もちろん、それは小さな、また特殊な幸福で、決してどえらい幸福ではない。わたしは老婆を先に乗らせ、城の廊下がわたしの後からついてくる古典的にして中世的なしきたりに従って、バスに乗った。

一五セント入れて、必要はなかったが、いつものように乗換券を受けとった。わたしはいつも乗換券をもらうことにしている。バスに乗っている間、それがあれば手を使うことができる。わたしには活動が必要なのだ。

腰かけてから、どんな客が乗っているのか知りたくて、バスのなかをざっと見まわす。一分ほどたって、そのバスにはなにか非常に思わしくない要素があることに、わたしは気がついた。そして時を同じくして、他の乗客たちもそのバスにはなにか非常に思わしくない要素があることに気がついたのだが、思わしくない要素はこのわたしだったのだ。

わたしは若かった。バスにはおよそ一九人ほど乗っていたが、他の乗客は一人のこらず六〇代、七〇代、八〇代の男女で、わたしはたったの二〇代だった。みんながわたしをじろじろ見つめる、わたしがみんなをじろじろ見つめる。全員が狼狽《ろうばい》して、居心地が悪かった。

いかにして、かくのごとき状況が生じたのか？　いかなる理由から、にわかにわたしたちはかくのごとき残酷な運命に巻きこまれ、たがいに目をそらすことができなくなったのか？

七八歳ぐらいの男がすさまじい力で上着の衿《えり》をぎゅっとつかんだ。六三歳くらいの女が白いハンカチで指を一本一本ふいていた。

わたしはつらかった。そんな残酷で異常なしかたで、喪《うしな》われた若さを、贅肉《ぜいにく》もなかった昔を、彼らに思い出させたことがとてもつらかった。どんな理由があってわたしたちは、呪《のろ》われたバスの席に供された奇妙なサラダでもあるかのように、こうして一緒にほうりだされたのか。

わたしは最初の機会をとらえてバスを降りた。みんな、わたしが降りたことを悦《よろこ》んだが、わたしほど悦んだ者はいなかった。

そこに立ちつくし、バスを見送った。もはや異様な積み荷も安定して、時間の旅路を遠ざかるそのバスが視界から消えるまで——。

タコマの亡霊の子供ら

ワシントン州タコマの子供らは一九四一年一二月、戦争に行った。わけがわかっているように振舞っていた両親やその他の大人たちを見ならって、そうすべきだ、と思えたからだ。

「真珠湾を忘れるな！」と彼らはいった。

「忘れてたまるか！」とわたしたちはいった。

いまではもう別人のように見えるけれど、その頃、わたしは子供だった。タコマで、わたしたちは戦争をたたかっていた。大人たちが本物の敵を殺すことができるように、子供たちは想像の敵を殺すことができる。

第二次世界大戦で、わたし個人として、敵の兵士たちを、負傷者を出させずに、三五万二八九二名殺した。戦時、子供たちが必要とする病院の数は大人たちのそれに比べてずっと少ない。だいたい子供たちは全面的に死の観点から戦争をとらえるからだ。

わたしは九八七の戦艦、五三二の航空母艦、七九九の巡洋艦、二〇〇七の駆逐艦、そして一六一の輸送船を撃沈した。輸送船は標的としてはあまりおもしろくない。全然気晴しにならない。

それから五四六五の魚雷艇を沈めた。なぜ、それほど多数を沈めたのだろうか、まったくわからない。よくあることなんだろう。四年の間、振り向くたびに魚雷艇を沈めた。いまでもそのことについて考えてしまう。五四六五といえば相当の数の魚雷艇だ。

潜水艦は三隻《せき》しか沈めなかった。潜水艦はわたしの好みではなかった。一九四二年の春、はじめて潜水艦を沈めた。一二月と一月には大勢の子供たちが出撃して、手当りしだいに潜水艦を沈めていた。わたしは待った。

わたしは四月まで待った。そして四月のある朝学校へ行く途中、ドカーン、乾物屋のまん前で、初の潜水艦撃沈。二隻目の潜水艦は一九四四年に撃沈した。二隻目を沈めるのに平然と二年も待ったのだ。

最後に潜水艦を撃沈したのは一九四五年二月で、十歳の誕生日の二、三日後のことだった。その年の誕生日のプレゼントにじゅうぶん満足しなかったからだ。

そして、そう、空だ！　背景にレイニア山が冷酷な白い将軍さながら聳《そび》え立つところ、わたしは敵を求めて勇猛にも空へ飛び立ったのであった。

わたしはP-38とグラマン・ワイルドキャット、P-51ムスタング、そして、メッサーシュミットの各戦闘機に殊勲飛行士《エース・パイロット》として乗っていた。そうさ。メッサーシュミットだ。わたしはメッサーシュミット機を一機捕獲したので、それにちゃんと特別の色を塗らせた。味方が勘ちがいしてわたしを撃ちおとすとまずいからだ。誰もかれもがわたしのメッサーシュミットを識別していたが、攻撃した敵はさんざんな目にあった。

わたしは八九四二機の戦闘機、六四二〇機の爆撃機、そして五一機の飛行船を撃ち落した。戦争がたけなわになった時期に撃ち落とした飛行船のおおかたは、わたしがやっつけたものだ。その後、一九四三年のことだが、わたしは飛行船を撃つのをきっぱりとやめた。のろすぎるからだ。

わたしは一二八一台の戦車、七七七の橋、そして、一〇九の精油所を破壊した。われわれが正しいことを知っていたからである。

「真珠湾を忘れるな！」と人々はいった。

「忘れてたまるか！」とわたしたちはいった。

からだから真直《まっすぐ》に両腕を突きだし、気がちがったみたいに駆けて、バンバンバンバ

ンバンバンバンバンバン！　とあらんかぎりの声で叫んで、わたしは敵機を撃ち落した。

いまの子供たちはもうそんなことはしない。子供たちは違うことをやっている、そして、いまの子供たちが違うことをするからこそ、わたしは朝から晩まで、使い古され、ぼろぼろになった玩具のことを思い出している一人の子供の亡霊であるような気持になることがある。

よくやったことでもうひとつ、すごく愉快なことがあった。わたしが若い飛行機になったのだ。懐中電灯を二本探し出して、夜になるとそれを灯《とも》して手ににぎる。両腕をからだから真直に突きだして、わたしはタコマの道を爆音けたたましく飛ぶ夜間飛行士だった。

家のなかでも飛行機ごっこはよくやった。台所から椅子《いす》を四脚運んできて並べる。二脚を同じ向きに並べて機体をつくり、翼として一脚ずつ。

家のなかでは、おもに急降下爆撃をやった。椅子はそれに一番適しているようだったから。わたしのすぐうしろの席にいつも妹が坐《すわ》っていて、無線で基地へ緊急連絡を送っていた。

「もはや爆弾は一コしか残っておりません。だが、あの航空母艦をこのまま見逃しにしてなるものですか。煙突を爆撃せねばなりますまい。どうぞ。ありがとう、大尉《たいい》どの。こうなればすべて運まかせです。どうぞ。おわり」

そして、妹はきまっていった、「できると思う？」わたしは答えた。「できるともさ、帽子をしっかりおさえてろよ」

おまえの帽子
なくなってから、もう
二〇年
一九六五年
一月一日

談話番組《トーク・ショウ》

二、三週間ほど前に買った新しいラジオで、わたしは談話番組《トーク・ショウ》を聴いている。AM／FMのソリッド・ステイトで、白いプラスチックのラジオだ。わたしは新しい物を買うことはほとんどないから、イタリア人のやっている電気器具店へ入ってこのラジオを買ったことは、わたしの経済生活にとってかなりの驚異であった。

店員はとても感じがよくて、FMのイタリア語講座を聴きたいというイタリア人たちにそのラジオを四百台以上も売ったと話してくれた。

どうしてかよくわからないのだが、その話にわたしはすっかり感心してしまった。それでそのラジオが買いたくなって、その結果わたしの経済は異変をきたしたのである。

ラジオの値段は二九ドル九五セント。

外は雨で、わたしはわたしの耳の使い道がないから、いまこうして談話の番組を聴いている。新しいこのラジオを聴いていると、過去に生きたもう一台の新しいラジオのことを思いだす。

冬といえばひっきりなしの雨降りとぬかるみを意味した太平洋岸北西部、そのときわたしは一二歳ぐらいだったと思う。

わたしの家には巨大なキャビネットに収められた古い三〇年代風のラジオがあったが、それは棺《ひつぎ》のように見えて、わたしは怖かった。なぜかといえば、古い家具は子供をおびえさせ、死人のことを考えさせる。

そのラジオの音といったらかなりひどくて、好きな番組を聴くことが日増しに難しくなった。

そのラジオには、修繕したらどうかなるというようなのぞみはもはやなかった。やっとの思いで、その哀れっぽい音にしがみついている、というような感じだった。

新しいラジオが必要になってもう長いことたっていたが、わたしの家はとても貧しかったので買えなかった。でも、どうにか月賦《げっぷ》の頭金にする金ができたので、ぬかるみを歩いて、近所のラジオ屋へ行ったのだ。

それはわたしの母と妹とわたしの三人で、まるで天国にでもきたような気分でいろいろな真新しいラジオを聴いてみたが、やっとある一台にしぼって、そしてそれを買った。

天国の製材所のような匂《にお》いのする素敵な木製のキャビネットに入った、息もつまるように美しいものだった。テーブルに置くタイプで、そのこともすごくよかった。

わたしたちはラジオを抱えて歩道のない泥道を家へ帰った。ラジオはボール紙の箱に守られていて、わたしがそれを持たせてもらった。すごく誇らしい気持になった。

冬の雨嵐《あめあらし》が家を揺さぶっていたあの晩、真新しいラジオで大好きな番組を聴いて、あれはわたしの生涯でももっとも幸福な一夜だった。番組はどれもこれも、まるでダイヤモンドのように響いた。シスコ・キッドの馬の蹄《ひづめ》の音も指輪みたいにきらきらと輝いていた。

禿《は》げはじめたでぶの中年男となってあれからいくとせ、いまわたしはこうして、わが生涯第二の真新しいラジオで談話番組《トーク・ショウ》に耳をかたむけている。あのときのあの嵐の影が、ほらまた家を揺さぶる。

きみのことを話していたのさ

二、三日前のことだったけど、きみのことを誰かに話していたんだ。きみはわたしがいままでに会った娘たちの誰ともちがう。

「そう、彼女はね、ジェイン・フォンダにそっくりなのさ。ただ、赤毛で、口がちがうだけでさ。それにもちろん、映画スターじゃないけどさ」というわけにはゆかなかった。

きみはジェイン・フォンダには全然似てないんだから、そんな風にいうわけにはゆかなかったさ。

そこで、ついにわたしは、ワシントン州タコマで子供時代に見た映画のようだと、きみのことを説明するはめになってしまった。その映画を見たのは一九四一年か四二年頃さ。七歳だったか、八歳だったか、六歳だったか、その頃だ。農村の電化がテーマで三〇年代の典型的なニューディール的モラルの子供向き映画だった。

電気のない田舎に住んでいる農民の話だった。夜になると、縫いものや読書をするのにランタンを使わねばならず、トースターとか洗濯機とかそういう器具もないし、ラジオも聴けないのだった。

と、そこで、彼らは大きな発電機のあるダムを造り、田舎に電柱を建てて、田畑に電線をはりめぐらしたのだ。

電線をはり渡すための電柱を立てるという単純な活動から、とてつもなく英雄的な感じが伝わってくるのだった。電柱は古色蒼然《こしよくそうぜん》としていて同時にモダンに見えた。

そして、映画は、若きギリシャの神さながら、「電気」がやってきて農民たちの暗い暮しを永遠に征服してしまうところを見せた。

スイッチを入れると、神がかりのごとくにわかに、暗い冬の朝まだき乳を搾《しぼ》る農民のところに電灯がついたのである。

農家の人たちはラジオを聴けるようになって、トースターを使い、ドレスを縫ったり新聞を読んだりするのに明るい光をふんだんに使うようになったのだ。

あれはなかなかすばらしい映画で、「星条旗よ永遠なれ」に耳を傾けたり、ルーズヴェルト大統領の写真を見たり、ラジオで彼の演説を聴いたりするときみたいに、わたしは興奮したものだ。

「……合衆国大統領……」

世界じゅうに電気が行き渡るようにと、わたしは願った。世界じゅうの農民がラジオでルーズヴェルト大統領の声を聴けるようになるようにと、わたしは願った。

きみはちょうどそんな感じのひとなのだよ。

万聖節の宵祭は船でゆく海原

子供のとき、万聖節の宵祭には、わたしはまるでじぶんが船で海へでて行く船乗りみたいに「なんぞおくれ」をやったのだった。飴玉《あめだま》やなにかが入った袋を舵《かじ》のところにおいて、わたしのハロウィーン用のお面は、寄航港みたいに玄関の明りが輝く、美しい秋の夜を進む帆であった。

「なんぞおくれ男」がわたしたちの船の船長で、つぎのようにいうのだった。「われわれはほんのわずかな間だけこの港に錨《いかり》をおろすのである。皆のもの、陸へあがって、楽しんでもらいたい。ただし、朝には帆をあげ出帆だ」やれやれ、船長は正しかった！ わたしたちはまさしく朝には帆をあげ出帆したのであった。

やぶいちごモータリスト

いまはさびれてしまった工業地帯、やぶいちごが一面に生い茂り、廃屋になった倉庫には竜のグリーンの尾さながら、つるが絡《から》みついていた。やぶいちごの木々はすごく大きかったので、木の中心の方の良いいちごが摘めるようにと人々は木と木の間に板を渡した。

やぶいちごの木に渡された橋はたくさんあった。五、六枚もの板を繋《つな》げた長さのものもあって、よく注意してバランスをとりながら歩かなければならなかった。なぜなら、もし橋から落ちたら、その下は一五フィートほどの深さで、やぶいちごのつるがあるだけだから、棘《とげ》で大怪我《おおけが》をする。

そこはパイを一つ作ってみたり、ミルクと砂糖をかけてちょいと食べてみたりするために気軽にわずかばかりのやぶいちごを摘みに行く、というような場所ではなかったのだ。冬の間に食べるジャムを作るとか、もうちょっと金がいるから映画を観《み》るのはあきらめてやぶいちごでも売ろう、などという場合に、そこへ行くのだ。

あそこにはあまりにも大量のやぶいちごがなっていて、信じられないくらいだった。黒ダイヤのように大粒だったが、巧妙に摘むには、入口を作ったり橋を渡したり城を包囲するがごとき中世的やぶいちご工学技術が必要だった。

「城がおちたぞおお！」

ときには、やぶいちごを摘むのに飽きてしまうと、わたしはずっと下のほう、蔭深《かげ》い土牢《つちろう》のようなつるの終りを覗《のぞ》きこんでみるのだった。そこにはいったい何だか得体の知れないものや、幽霊のように形が変化するものまで見えた。

あるとき、わたしは抑えきれない好奇心に駆られて、つるのなかをずうっと遠くまでのびていた、じぶんで渡した橋の五枚目の板のところに屈《かが》みこんでじいっと深みを覗きこんだ。棘はまるで悪魔のほこに生えたスパイクみたいだったが、やがて目が暗《くら》闇《やみ》になれてくると、わたしの真下にモデルAのセダンが一台見えてきたのだ。

脚がしびれてしまったと気づくまで、わたしはその板の上に屈みこんで長いことじいっとその車を見つめていた。服は裂け、血のでるひっかき傷をたくさんつくりながら、その車のフロント・シートへたどりつくのにおよそ二時間もかかった。わたしはハンドルに両手をのせ、いっぽうの足をアクセルに、もういっぽうをブレーキにのせて、城の家具のような匂《にお》いに包まれて、黄昏《たそがれ》のような暗闇からフロントガラスを通して、緑の明るい影のほうをじっと見上げていた。

そこへやぶいちご摘みの人たちがやってきて、わたしの頭上の板の上でやぶいちごを摘みはじめた。とても興奮していた。あれほどのやぶいちごを見たのははじめてだったのだろう。わたしは彼らの下、車のなかに坐《すわ》って、連中のお喋《しゃべ》りを聞いていた。

「おい、このやぶいちごを見ろっていってるんだよ！」

ソローのゴム輪

とてもとても美しいので見つめるたびにもうすっかり嬉《うれ》しくなってしまうような娘の隣りに坐《すわ》って、借りもののジープでニュー・メキシコ州を走る、人生はそういうふうに単純なのだ。

ずっと大雪が降り続いて、砂時計のような雪が予定の道路をふさいでしまったので、わたしたちは一五〇マイルもの道を迂回《うかい》しなければならなかった。

でも、じつをいえば、わたしはわくわくしている。チャコ峡谷に行く高速五六号線が開通しているかどうか調べるために、ニュー・メキシコの小さな町ソローに向っているからだ。そこでインディアンの遺跡を見物しようと思っていたのだ。

地面にはものすごく雪が積もっていて、まるで政府から年金をもらったばかり、この先の長く愉快な隠居生活を楽しみにしてる、というような感じだ。

雪のなか、ゆったりと構えた一軒のカフェが見える。わたしは娘を座席に残してジープを降りると、道路のことを教えてもらうためにそのカフェに入る。

ウェイトレスは中年だ。彼女は、わたしがあたかもたったいま雪から立ち現われたジャン＝ポール・ベルモンドとカトリーヌ・ドヌーヴ主演の外国映画でもあるかのように、わたしを見ていた。カフェは五〇フィートの長さの朝食の匂《にお》い。そこに二人のインディアンが坐って、ハム・エッグを食べている。

ふたりはじっと黙っているが、わたしに興味を持っている。伏眼でわたしを見ている。ウェイトレスに道路のことを訊《たず》ねると、彼女は閉鎖されていると答えた。断固とした早口の文章ひとつで。そうか、じゃあどうしようもないや。

扉のほうへ行きかけると、インディアンのひとりがこちらを向いて伏眼がちにいう、

「道路は開通してる。今朝行ってきたんだ」

「高速四四号までずっとかい、キューバへ行く道まで？」

「そう」

ウェイトレスはにわかにコーヒーに注意を向ける。たったいま、コーヒーを見なければならないのだ、それに、それこそはすべての来《きた》るべきコーヒー飲み世代たちのためにする彼女の仕事なのである。彼女の献身なくしては、ニュー・メキシコ州ソロー

の町からコーヒーが絶滅してしまうかもしれないではないか。

44／40

わたしの知っていたキャメロンは、すでにとても歳《とし》をとっていて、いつもスリッパを履いていたし、もう口もきかなかった。葉巻きを吸って、ときどきバール・アイヴスのレコードを聴いていた。歳をとることについて不平をもらすようになった中年の息子と同居していた。

「チキショウ、もう昔のように若くはねえんだってことは、どうにもならねえや」

家の表の部屋に、キャメロンはじぶん専用の安楽椅子《いす》を持っていた。ウールの毛布が掛けてあった。その椅子に他の者が坐《すわ》ることはついぞなかったが、いずれにしろ、あたかもキャメロンは四六時中その椅子に腰かけているような印象をあたえた。彼の魂がその椅子を支配していたからだ。老人はそこにすわって生涯を閉じる家具とそのような関係を結ぶ。

冬になると、彼はもう外へでなかったが、夏の間は正面のポーチに坐っていることもあって、そういうときは、前庭の薔薇《ばら》の茂みの向こうに見える、まるで彼など一度たりともこの世に存在したことさえなかったみたいに日々が過ぎていく道路のほうをじいっと見つめていた。

でも、それはちがうのだ。彼はかつてはすばらしいダンスを踊り、一八九〇年代には夜を徹して踊ったものだ。ダンスがうまいので有名だった。ふざけた真似《まね》をする若者たちをずいぶん墓場へ送りこんでやったし、娘たちは彼と踊るときまっていつもより上手に踊れたので、彼に夢中になってしまう。その界隈《かいわい》では彼の名前が口にされただけで、娘たちはいい気持になってしまって、顔を赤らめたり、くっくっと笑ったりした。「きまじめな」娘たちだって、彼の名前を耳にしたり、姿を見かけると胸を高鳴らせた。

一九〇〇年、彼がシングルトン一家の末娘と結婚したときには、失恋に泣いた娘たちが大勢いた。

「あの娘《こ》はたいして綺麗《きれい》じゃないわ」悲嘆にくれた娘たちはそういって、結婚式で泣いた。

そればかりか、彼はポーカーもすごくうまかった。その辺りでは皆が高額を賭《か》けて真剣にポーカーをやる。あるとき、ゲームの途中で彼の隣に坐っていた男がイカサマをやって、ばれた。

テーブルの上には、大金が積まれていたばかりか、牛一二頭、馬二頭、馬車一台、と記された一枚の紙片もあった。それも賭けの一部だったのである。

この男のイカサマは、ゲームに加わっていた男のひとりが無言でテーブル越しに素速く腕をのばし、男の喉元《のどもと》を掻《か》っ切ることによって暴露された。

キャメロンは機械的な動作で手をのばし、イカサマ男の頸静脈《けいどうみゃく》を親指で押さえ、テーブルが血だらけになるのをふせいで、勝負が終って一二頭の牛と二頭の馬と一台の馬車の所有者が決定するまで、断末魔の男のからだを垂直に支えていたのである。

キャメロンはもう何もいわなくなっていたが、そういうできごとの数々を彼の目のなかに読みとることはできた。リュウマチのせいで、彼の手は植物みたいになってしまったが、その穏やかさには桁《けた》はずれの威厳があった。葉巻きに火をつける彼の動作はひとつの歴史的行為ともいえるのだった。

一八八九年の冬のことだったが、彼は羊飼いをやった。二〇歳にもならない若さだった。荒涼とした田舎、それは寂莫《せきばく》とした長い冬仕事だったが、じぶんの父親に借金を返すために金が要るのだった。それはよくある複雑な家族間借金問題だったから、詳しく話さないほうがいいだろう。

その冬は、羊たちを眺める以外にはなにもすることがなくてちっともおもしろくなかったが、それでもキャメロンは気を落さずにすむ方法を見つけた。

鴨《かも》や雁《かり》が冬のあいだずっと川を上ったり下ったりして飛んでいたが、羊の飼主は彼ともうひとりの羊飼いに多量の、ほとんどシュールリアリスティックなほどの量の、44／40口径ウィンチェスター銃用の弾薬を与えていた。狼《おおかみ》を追い払うためだといったが、その界隈には狼はいなかった。

羊の飼主はじぶんの羊たちが狼にやられてしまうことを極度に怖《おそ》れていた。彼が羊飼いたちに与えた44／40口径用弾薬の量から判断したら、彼の恐怖は滑稽《こっけい》に近かった。

キャメロンはその冬、このライフル銃とこの弾丸をことのほか愛して、川から二〇〇ヤードほど離れていた山腹から鴨や雁を射《う》った。44／40口径銃は鳥射ちに最適だとはとてもいえない。まるで太った男が扉を開けるその動作みたいに、ゆっくりと進む巨大な弾丸を発射するのである。キャメロンはそういう不利な条件を好んだ。

家族間借金によるその追放の長い冬は一日、一日、銃声に銃声を重ねて、ゆっくりと過ぎて行った。そして、ようやく春がきたが、それまでに彼は鴨や雁を狙《ねら》って、おそらく二〇〇〇発か三〇〇〇発くらい発射したのではないか。しかし結局一発も命中しなかった。

キャメロンはそのことを話すのが好きで、とてもおかしな話だと思っていたから、話しながらいつも笑うのだった。キャメロンは、一九〇〇年という橋を渡り、とうとう口をきかなくなってしまったその時までの今世紀の何十年間に、鳥たちを狙い射ちしたのと同じ回数だけ、その話を繰り返し話してきかせたのである。

完璧《かんぺき》にカリフォルニア的な日のこと

太平洋岸のシエラ連山沿いの海岸線を眺めながら、わたしは一九六五年の労働祭の日、モントレー近くの鉄道線路に沿って歩いていた。いつもわたしが不思議に感じていたのは、そこで見る海は、みかげ石で岸辺をふちどられ、すさまじいほどに澄みきった水をたたえ、グリーンとブルーに輝くシャンデリアの泡が岩の間を出たり入ったりしているので、その光景がシエラの山奥の川によく似ていることだった。

見上げずにいれば、そこにあるのが海岸線だと信じることは難しかった。わたしはその海岸は小さな川なのだと考えて、向う岸までは一万一〇〇〇マイルもあることをひそかに忘れてみたりすることもあった。

角を曲がってその川を行くと蛙《かえる》人種が一二、三人みかげ石に囲まれた小さな砂浜でピクニックをしていた。みんな黒いゴムスーツを着ている。輪になって立ったまま大きく切った西瓜《すいか》を食べている。そのうちのふたりは綺麗《きれい》な娘で、ゴムスーツの上にやわらかなフェルトの帽子を被《かぶ》っている。

蛙人種たちはもちろん蛙人種的話題で会話していた。ずいぶん子供っぽくて、風のなかで、おたまじゃくし的会話の夏が過ぎて行くのだった。スーツの肩から腕にかけて真新しい血管みたいに奇怪なブルーの縞《しま》模様をつけている者もいた。

二頭のドイツ警察犬が蛙人種のまわりで遊んでいた。犬たちは黒いゴムスーツを着ていなかったし、浜に彼ら用のスーツがおいてあるのも見当らなかった。おそらく犬たちのスーツは岩かげにあったのだろう。

仰《あお》向けになって波に浮いていた蛙男はそのかっこうで西瓜を食べていた。波に身をまかせて、彼は渦巻き、寄せては返していた。

プロメテウスが縛りつけられていた岩にもひけをとらないような劇場舞台さながらの大きな岩に、たくさんの装具がもたせかけて置かれていた。岩のかたわらに、黄色の酸素タンクが何本かあった。それらはまるで花のよう。

蛙人種たちの輪はその後半円形になったが、やがてそのうちのふたりが海に駆け入ると、振り向いて西瓜のかけらをぶつけはじめた。浜辺の砂でレスリングをはじめたふたりもいて、そのまわりで犬が吠《ほ》え立てた。

すっぽりと身を覆《おお》う黒いゴムスーツを着て、おどけたやさしい帽子を被って、娘たちはとても美しい。西瓜を食べる彼女たちはカリフォルニアの王冠に飾られた宝石のように輝いていた。

東オレゴンの郵便局

東オレゴンを車で走る。秋。後座席には銃、ジョッキー・ボックスあるいはグローヴ・コンパートメントには榴散弾《りゆうさんだん》。わたしはこの山岳地帯で鹿《しか》狩りにでかけて行くひとりの子供にすぎなかった。もうずいぶん遠くまできていた。日暮れ前に出発して、そして夜どおし走って。いまではもう、虫のように、暑い陽ざしが車のなかで輝いて、うっかり閉じこめられてしまった蜂《はち》かなんかのようにぶんぶん唸《うな》ってフロントガラスにあたる。

わたしはとても睡《ねむ》くて、前座席のわたしの隣に押しこめられていたジャーヴ叔父にその界隈《かいわい》のこと、動物のことを訊《たず》ねていた。わたしはジャーヴ叔父のほうを見た。彼は運転していたが、ハンドルが不自然な近さにあった。彼の体重は二百ポンドをこえていたからだ。車からはみだしそうだった。

睡たさの薄明りにジャーヴ叔父がいて、彼の口には嚙《か》み煙草《たばこ》のコペンハーゲンがあった。いつも嚙んでいた。昔はみんなコペンハーゲンが好きだったのだ。買え、買えと、そこらじゅうに広告があったものだ。もうこの頃はあの広告は見られなくなってしまった。

ジャーヴ叔父はかつて、高校生のときにはその地方では名の知られた運動選手だったし、その後は伝説的な遊び人になった。ある時期には、同時にホテルの部屋を四室も借りていて、各室にウィスキーが置いてあったが、でも、そいつらはもうない。彼が歳《とし》をとってしまったからだ。

その頃のジャーヴ叔父はウェスタン小説を読み、土曜日の朝にはきまってラジオのオペラを聴いたりして、もう物静かに自省的な暮しを送っていたのだ。いつも口にはコペンハーゲンがあった。四つのホテルの部屋と四本のウィスキーはあとかたもなく消え去った。コペンハーゲンが彼の運命、永劫《えいごう》の状況となったのである。

わたしはジョッキー・ボックスにしまってある二箱の30／30口径銃用の榴散弾のことを考えて楽しくなっているひとりの子供にすぎなかった。「マウンテン・ライオンはいるの？」とわたしは訊ねた。

「クーガーのことかい？」

「そう、クーガーのこと」

「いるとも」ジャーヴ叔父はいった。赤い顔をして、髪が薄くなっている。もともとハンサムではなかったのだが、女たちにはいつも人気があった。わたしたちは同じクリークを幾度も幾度も渡った。

すくなくとも十数回は渡ったのだが、それでもそのたびになんだかうれしくて、はっとするのだった。川は長く続いた暑さのために水かさが減っていて、部分的に伐採された土地を流れていた。

「狼《おおかみ》はいるの？」

「すこしな。もうすぐ町だ」とジャーヴ叔父がいった。農家が一軒あった。誰も棲《す》んでいない。

家の脇《わき》に、たくさんの薪《まき》が積んであった。亡霊たちが薪を焚《た》くのだろうか？　そりゃあ、焚いたとしても彼らの勝手だけれど。薪は長い歳月の色になっていた。

「山猫はどうなの？　山猫を捕るとほうびがもらえるんだって？」

わたしたちは製材所を通りすぎた。クリークの向うは、水を堰《せ》きとめて丸太用の貯木池になっていた。丸太の上に、男がふたり立っていた。ひとりは弁当の箱を手に提げていた。

「二、三ドルだよ」とジャーヴ叔父がいった。

もう町だった。小さな町だ。家々も店もチャチなもので、長年の雨風にさらされてきた印象をうけた。

「熊《くま》はいるの？」とわたしは角を曲がるときに訊《き》いたのだが、ちょうどその時、わたしたちの目前に一台の小型トラックが見えて、ふたりの男が車から熊を降ろそうとしてトラックのかたわらに立っていたのだ。

「この辺りは熊だらけよ」とジャーヴ叔父がいった。「ほら、そこにも二頭いるぞ」

なんと、まあ……まるであらかじめ計画されていたみたいに、長い黒い毛に覆《おお》われた巨大なかぼちゃでもあつかうようなやりかたで、男たちが熊を車から降ろそうとしているところだったのである。

熊のかたわらに車を止めて、わたしたちは降りた。

熊を眺めようと、人々が集っていた。みんなジャーヴ叔父の知り合いだ。みんながジャーヴ叔父にやあやあといった、どうしてた、えっ？と。

それほど多勢の人たちがいちどきにやあ、やあ、というのをわたしははじめて聞いた。ジャーヴ叔父がその町を去ったのはずいぶん昔のことだった。「やあ、ジャーヴ、やあ」わたしは熊たちもやあというのではないかと思った。

「やあ、ジャーヴ、相変らずのしみったれ。ベルトのかわりに腰に巻いているのはなにかね、えっ？　車のタイヤか？」

「へっ、ふざけやがって。どれどれ熊を見せてもらおうか」

二頭とも、五、六〇ポンドの小熊だった。

「サマーズ爺《じい》のクリーク」のところで射《う》たれたのだ。母親熊は逃げた。小熊たちが死んでしまうと、母親熊はやぶに逃げこみ、だにどもとともにじっと身をひそめていた。「サマーズ爺のクリーク」！　そこで狩りをするのだ！「サマーズ爺のクリーク」のほう！　まだそこへは行ったことがなかった。熊たち！

「母親熊は容赦しないだろうぜ」とそこに集っていた男たちのひとりがいった。その男の家にわたしたちは泊ることになっていた。彼が熊を射ったのだ。ジャーヴ叔父と仲が良かった。経済の大恐慌《だいきょうこう》のころ、高校フットボールで一緒だったのだ。

女がひとり通りかかる。腕に食料品の袋を抱えていた。立ち止まって熊を眺める。熊たちのほうにずっとからだをかしげるようにしてずいぶん近くまで寄った。セロリーの葉を熊たちの顔にぐいと押しつけるようにして。

連中は熊たちを運んで行って、二階建ての古い家の正面のポーチに置いた。家の軒《のき》にはぐるりと一周木の飾りが菓子のようについている。前世紀のバースデー・ケーキだ。わたしたちはその夜そこに泊る蠟燭《ろうそく》だった。

ポーチをかこむ格子《こうし》垣には奇妙なつたが絡《から》んでいたが、それにはさらに妙な花が咲いていた。そのつたの葉も花もそれまでに見たことはあったが、家にそんなふうにして絡まっているのを見るのははじめてだった。ホップだった。

家にホップが絡まっているのを見るのははじめてだった。花はおもしろい味がする。でも、その花の味になれるのにはちょっと時間がかかった。

家の表側に陽ざしがあたって、ホップの影が熊に落ちかかり、熊たちはさながら二杯の黒ビールみたいだ。壁にもたれて、そこに坐《すわ》っていた。

「イラッシャイマセ。呑《ノ》ミ物ハナニニナサイマス?」

「二頭ノべあヲ」

「冷エテマスカドウデスカ、冷蔵庫ヲシラベマショ。チョット前ニ入レタバカリダモンデ……アア、ダイジョウブ、冷エテマスネ」

熊を射ち殺した本人は熊は欲しくないというので、「じゃあ、町長にやったらいいや。町長は熊が好きだからね」と誰かがいった。その町の人口は、町長と熊たちをいれて、三五二人だった。

「熊をあげますよ、と町長に伝えてくるよ」と誰かがいって、町長を探しにでかけた。

ああ、この熊たちはどんなにうまいことだろう。蒸し焼きにしても油で焼いても茹《ゆ》でてもいいし、スパゲティにしてもいい。そう、イタリア人たちが作る熊スパゲティみたいにな。

保安官のところで町長に会ったよ、という者がいた。一時間前のことだ。いまもそこにいるかもしれない。ジャーヴ叔父とわたしは小さなレストランへ行って昼食をとった。そこの網戸は修繕がぜひとも必要で、開けると錆《さ》びついた自転車のような音をたてた。ウェイトレスがなににしますかとわたしたちに訊ねた。扉のそばにスロットマシンが何台か置いてあった。そこらでは博奕《ばくち》は堂々と合法だった。

わたしたちはローストビーフのサンドイッチとマッシュ・ポテトと肉汁《グレーヴィー》を食べた。店には何百匹も蠅《はえ》がいた。かなりの大群がそこここにひっこきみたいに吊《つる》してあった蠅取り紙を見つけて、その上でくつろいでいた。

じいさんが入ってきた。牛乳をくれといった。ウェイトレスが彼に牛乳をだした。それを飲みおわると、でがけに五セント玉をスロットマシンに入れた。そして、首を振った。

食事がすむと、ジャーヴ叔父が郵便局へ行って葉書を出す、といった。歩いて行ってみると、郵便局は掘立て小屋と呼ぶのが相応《ふさわ》しいような小さな建物だった。網戸を開けて、なかに入る。

郵便局にあるべき物がやたらにあった。カウンターがあって、海底の髭《ひげ》のようにたれ下る針をつけた時計が、時代に遅れをとるまいとゆるやかに揺れていた。壁に、マリリン・モンローの大きなヌード写真があった。郵便局でそんなのを見るのははじめてだった。彼女は大きな赤い色の上に横たわっていた。郵便局の壁に貼《は》るには変《ストレンジ》じゃないかと思ったが、でも、いうまでもなく、わたしは土地ではよそ者《ストレンジャー》だった。

郵便局員は中年の女性で、一九二〇年代にはやった例の口の形を彼女の顔の上にまねて描いた。ジャーヴ叔父は葉書を買うと、さながらコップに水を満すような調子で、カウンターの上で葉書を字でうめた。

あっという間のことだった。半分ほど書いて、ジャーヴ叔父は手を休め、マリリン・モンローをちらりと見上げた。見上げる彼には肉欲的な感じは微塵《みじん》もない。山や木の写真を見ているも同然だった。

誰に宛《あ》てて葉書を書いていたのか、わたしは憶《おぼ》えていない。きっと友人か親戚《しんせき》の者だっただろう。わたしは懸命にマリリン・モンローのヌード写真をじっと見つめて立っていた。ジャーヴ叔父は葉書を投函《とうかん》した。「さあ、おいで」といった。

熊のいた家へ戻ってみると、熊は消えていた。「どこへ行っちまったんだい？」と誰かがいった。

多勢人が集ってきて、誰もかれも行方不明の熊のことを話し、あちこち隈《くま》なく探しているみたいだった。

「死んでるんだぜ」と励ますようにいった者がいた。それから間もなくわたしたちは家のなかを探した。すべてのクロゼットを調べていた女のひともいた。

しばらくすると町長がやってきて、「腹ぺコだ。俺の熊はどこかね？」といった。

誰かが町長に熊は蒸発してしまいましたよと告げると、町長は「そんなことは不可能だ」と答えて、ポーチへ行って、膝《ひざ》をわざわざついてその下を覗《のぞ》いた。熊の姿はなかった。

一時間ほどたつと、みんなは熊探しを止《や》めてしまい、日も落ちた。わたしたちは、かつては熊がいた正面ポーチに腰を下した。

男たちは大恐慌当時の高校フットボールのことを語り合い、いまは歳をとって太ってしまったことについて冗談をいい合っていた。誰かがジャーヴ叔父にホテルの四部屋とウィスキー四本について訊ねた。ジャーヴ叔父をのぞいて、みんなが声を上げて笑った。叔父はただ顔に笑みを浮かべただけ。夜になったばかりのとき、熊が見つかった。

熊たちは脇路《わきみち》で一台の自動車の前座席に坐っていた。一頭はズボンをはいて、格子柄のシャツを着ていた。赤いハンチング帽を被《かぶ》り、口にパイプをくわえて、バーニー・オールドフィールドみたいに両前足をハンドルの上にのせていた。

もう一頭のほうは白い絹のネグリジェを着ていた。男性雑誌の裏表紙などによく広告が出ているたぐいのものだ。足にフェルトのスリッパをひっかけていた。頭にはひもで結んだピンクのボンネット帽、そして膝《ひざ》の上にはハンドバッグ。

ハンドバッグの口を開けてみた者がいたが、なかにはなにもなかった。なにを見つけるつもりだったのかわからないが、連中は失望した。それにしても、死んだ熊はハンドバッグになにを入れるのだろうか？

＊

奇妙なのは、このこと、つまり熊のことをわたしに思い出させたきっかけだった。それは生きがいのすべてであるとされている若さと美しさにめぐまれていながら睡眠薬で自殺してしまったマリリン・モンローの、新聞にのっていた一枚の写真なのだ。

新聞はもうそのニュースでもちきりだ。多数の記事や写真などがのっている。荷車で屍体《したい》が運びさられる、ありきたりのさえない毛布にくるまれた遺体。マリリン・モンローのこの写真を飾るのは東オレゴンのどの郵便局だろうか。

死体置場の職員が扉の外へ荷車を押して出て行く、荷車の下に陽ざしが輝く。ベネシアン・ブラインドが写真にうつっている、一本の木の枝々もうつっている。

青白い大理石の映画

部屋の天井は高いヴィクトリア朝風で、大理石の暖炉があって、窓にはアボカドの木が植えてあった。彼女はわたしのかたわらにとてもしっかりした、ブロンド的な体つきをして眠っていた。

そして、わたしも眠っていたのだが、時は九月、ちょうど夜が明けはじめる頃だった。

一九六四年。

と、不意に、なんの前ぶれもなく彼女が起き上った。それでわたしはすぐ目が覚めてしまったのだが、彼女はベッドをでようとしているのだった。ひどくまじめに。

「どうするんだい?」とわたしはきいた。

彼女の目はパッチリと開いている。

「起きるの」と彼女はいった。

目の青さは夢遊病者いろ。

「ベッドに戻りなさい」とわたしはいった。

「どうして?」片ほうのブロンドの足を床に置いて、すでに半分はベッドをでていた彼女がいった。

「どうしてって、きみはまだ眠っているからだよ」とわたしがいった。

「そお……じゃ、いいわ」と彼女はいった。わたしの言葉に納得すると、彼女はベッドに戻り毛布にくるまって、わたしにじっとよりそうようにした。それからはもう一言もいわず、身動きもしなかった。

さすらいのときは過ぎて、彼女はぐっすり眠っていたが、わたしのさすらいはまさにはじまろうとしていた。わたしはこのできごとについて長い間考え続けてきた。その記憶はわたしを去らず、まるでほの暗い大理石に映る映画のように、繰り返し繰り返しよみがえるのである。

相棒

アメリカの場末の映画館に坐《すわ》っているのがわたしは好きだ。そこでは人々は映画を観《み》ながら、エリザベス王朝風の流儀で生きそして死んでゆく。マーケット通りには四本立てが一ドルで観られる映画館がある。いい映画かどうか、それは問題ではない。わたしは批評家ではない。ただ映画を観るのが好きなだけだ。スクリーンに映画が映っているだけでわたしには充分なのだ。

その映画館は黒人たち、ヒッピーたち、年寄りたち、兵隊たち、船乗りたち、それに、映画にはそれまでかれらの身に起こったできごとに劣らない現実性があるのだから、映画に話しかけるという天真爛漫《らんまん》な人たち。

「だめだ！　だめだよっ！　車へ戻れ、クライド。ああ、なんてことだ、ボニーが殺される！」

わたしはそういう映画館の寄宿詩人であるが、それでグッゲンハイム奨学金がもらえるだろうとは思っていない。

夕方の六時に映画館に入って、午前一時に出てきたこともあった。七時にわたしは脚を組んだが、十時まで脚はそのままで、とうとう一度も立ち上らなかった。

わたしは芸術映画のファンではない、といういいかたもできる。洒落《しやれ》た映画館で自信ありげに教養の香水のにおいをプンプンさせている連中と一緒に審美感覚をくすぐられてみたいとは思わないのだ。そんな金はない。

先月のことだったが、わたしがノース・ビーチの「タイムズ館」という「二本立て七五セント」劇場にいたら、鶏と犬がでてくる漫画映画をやっていた。

犬は眠りたいのだが、鶏がその邪魔をする、そこで、かならず漫画的暴力沙汰《ざた》に終る一連の珍事が続発した。

わたしの隣には男が坐っていた。

彼は白い白い白い男。肥満体、五〇歳前後、禿《は》げかけているような感じ、顔にはいかなる人間的な繊細さも感じられない。

戦争に敗れた国の国旗みたいな、ぶかぶかのずた袋のような服が彼のからだを包んでいて、この男が受けとる郵便物はいつも勘定書ばかりだ、という印象だった。

と、漫画映画のなかの犬は、鶏が相変らず眠る邪魔をしているので大きな欠伸《あくび》をしたところが、犬が欠伸をし終る前に、わたしの隣の男が欠伸をしはじめたのである。漫画の犬と、この男すなわち息をしている人間が、一緒に欠伸をしていた。ふたりはアメリカで相棒どうし。

たがいを知ること

彼女はホテルの部屋をひどく嫌っている。シェイクスピアの十四行詩《ソネット》みたい。というのは、童女もしくはロリータ的な。クラシックな形式なのだ。

abab cdcd efef gg

ウィリアム・シェイクスピア
一五六四―一六一六

彼女はホテルの部屋がひどく嫌いだ。なんとも我慢ならないのは朝の光だ。ああいう種類の光にかこまれて目覚めるのは嫌いなのだ。

ホテルの部屋の朝の光はいつも人工的で、苛酷《かこく》なほど清潔で、まるでメイドが「メイド鼠《ねずみ》」となってこっそり音をたてずに忍びこみ、奇怪な敷布で、まさしく空中にぶらさがる不思議なお化けベッドを作ることによってその光を置いて行ったかのようだ。

彼女はベッドに横になったまま、よく狸《たぬき》寝入りをしたものだ。そうすれば、折り畳んだ朝の光を腕に抱えてメイドが入ってくるところを目撃できるかもしれない、と考えたからだが、でも、結局メイドをつかまえたことはなくて、彼女もついにあきらめた。

彼女の父親は新しい愛人とべつの部屋で眠っていた。父親というのは有名な映画監督で、自作の宣伝のためにこの町に来ていた。

そのサン・フランシスコへの旅では、彼は完成したばかりの恐怖映画『薔薇《ばら》巨人たちの襲撃』という作品のプロモーションをやっていた。映画は狂気の庭師が温室の中で、実験的な肥料を使って育てた植物についての物語だった。

彼女は薔薇巨人たちなんてくだらないと思っている。「おろかしいヴァレンタイン・デイね」とつい最近彼女は父親にそういった。

「クタバレ」これが父親の反応。

その日の午後、彼は「クロニクル」紙のペイン・ニッカーボッカーと昼食をともにし、その後で、「エグザミナー」紙のアイケルバウムのインタビューを受けることになっていたから、二、三日もすれば、彼女の父親のまるで変りばえのしないくだらないお喋《しゃべ》りが両紙に掲載されるだろう。

昨夜、彼はフェアモント・ホテルに次の間つきの部屋を借りたが、彼女はロンバード通りのモテルに泊りたかった。

「おまえ、頭がおかしいのか？　ここはサン・フランシスコだぞ！」と彼はいった。

彼女はホテルよりもモテルのほうがずっと好きだが、でもどうしてそうなのかはじぶんでもわからない。朝の光のせいかもしれない。きっと、そのことと関係があるんだ。モテルの部屋の光線のほうがずっと自然だもの。メイドが置いて行ったんだという感じではないもの。

彼女はベッドを脱けだす。父親が誰と一緒に寝ているのか見たかったからだ。ちょっとしたゲーム。父親が誰と一緒に寝ているかを当てることができるかためしてみるのだが、それはいってみれば愚かなゲームだった。父親が一緒に寝る相手はいつも彼女にまるでそっくりの女たちだったので、彼女自身も愚かなゲームだと承知していた。

いつもいつもそういう女たちをどこで見つけてくるのだろうか、と彼女は不思議だった。

彼の友人たちはそのことで罪のない冗談をいいたがる。連中は彼の愛人たちと娘はいつもきまって姉妹に見える、といった。彼女はときどきじぶんがたえず変化する奇異な姉妹一族のひとりのような気がするのだった。

彼女は五フィート七インチで、尻《しり》にとどくほど長い、まっすぐなブロンドの髪をしていた。体重は一一三ポンド。眼はとても碧《あお》い。

彼女は一五歳だったが、いくつといっても通った。ちょっとした気まぐれを起せば、一三歳から三五歳までの年齢ならどれでもちゃんとその歳《とし》に見える技をもっていた。わざと三五歳に見えるようにすることがあった。二〇歳そこそこの男たちが年上の、経験ゆたかな女性だと考えて、彼女に惹《ひ》かれるからだ。

ハリウッド、ニューヨーク、パリ、ローマ、そしてロンドンなどでずいぶん多くのそういう女性を観察してきたから、彼女は、いまだに魅惑的ではあるがすでに容色の衰えはじめた三五歳の女という役を完全に演じきることができたのである。

たった一五歳だということを全然気づかれずに、すでに三度も二〇歳そこそこの若い男たちとの情事を経験していた。

それが彼女のひそかな趣味になった。

彼女には三五歳までの生涯の経歴をでっち上げることができたが、それを演じる彼女を目《ま》のあたりにすると、彼女が夢幻の望遠鏡を覗《のぞ》きこんでそれらの経歴をほんとうに生きてきたという感じがするのだった。ユダヤ人の歯科医を夫に持ってグレンデイルに住んでいる三人の子持ちの三四歳の主婦で、迷える若者と秘密につきあっている、というような役を演じることができるのだ。あるいは、ニューヨークからやってきた三一歳の独身の文芸関係の編集者で、狂気のレズビアンの愛人の手中から逃れたい、倒錯の世界から彼女を救ってくれる若い男を求めている、といったような役。不治ではあるが魅力的な病いを背負った三〇歳の離婚歴のある女で、最後のロマンスを求めている、そんな役だって演じられる。

彼女はそれをとても楽しんでいた。

ベッドから脱けでると、からだにはなにも着けずに抜きあし差しあし居間へ行き、それから父親の寝室のドアへ近づく。ふたりが目を覚ましているか、それとも愛し合っているのだろうかと耳をすませる。

父親とその愛人はぐっすり眠っていた。ドアをつらぬくようにして、彼女はそれを感じた。その寝室には暖かくて凍りついたひとかたまりの空間があった。

ドアをほんの少し開いてみたら、その女のブロンドの髪が黄色いシャツの袖《そで》みたいにベッドの片側にあふれこぼれていた。
彼女はにっこりして、ドアを閉じた。
彼女についての話はここまで。
わたしたちは彼女のことを少しだけ知っている。
そして、彼女はわたしたちのことをずいぶんいろいろと知っているのだ。

a b a b　*c d c d*　*e f e f*　*g g*

ウィリアム・シェイクスピア
一五六四―一六一六

オレゴン小史

一六歳の頃には、よくそういうことをやった。雨降りのなか、五〇マイルの道をヒッチハイクで、一日も終る時分に猟にでかけた。30／30銃を持って親指を突きだし、なにも苦にせず道に立っていたが、車にはきっと乗せてもらえるものと考えていた。そう、いつも拾ってもらえた。

「どこへ行くのだい？」

「鹿《しか》狩りに」

オレゴン州では、鹿狩りといえば無視できない。

「乗れよ」

尾根の頂上にきて車を降りると、どしゃぶりの雨だった。車を運転していた人はあきれ返っていた。樹木で半分埋まってしまった河流が雨にかすんだ峡谷に坂になってつながっている。

その峡谷を伝って行くとどこへでるのか、まったくわからない。そこへ行ったのははじめてだし、どこへでようとどうでもよかった。

「どこへ行くんだい？」その雨のなか、わたしが車を降りようとしているのがとても信じられないという様子でドライバーはいった。

「あっちのほう」

彼が行ってしまうと、わたしは山のなかにたった独りになった。それはわたしが望んでいたことでもあった。頭から爪先《つまさき》までわたしは完全に防水されていたし、ポケットには板チョコも入っていた。

わたしは木立の間をぬけて、乾いた茂みから鹿を蹴《け》り出そうとやってみたが、鹿が実際にいようといまいとたいした違いはなかった。

ただ、わたしは猟にふさわしい状態の意識を得たかったのだ。そこに鹿がいる、という想《おも》いがすでにそこに確かに鹿がいるということに負けずにすばらしいのだった。茂みのなかになにかが動く気配はなかった。鹿の気配、鳥のいる気配、兎《うさぎ》のいる気配もなにもない。

ただそこに佇《たたず》んでいるだけのこともあった。樹木から水が滴《したた》り落ちる。そこにはわたしがいる気配しかない。たった独りで。だから、わたしは板チョコを食べた。時間は見当もつかなかった。冬雨のせいで、空は暗い。でかけるときにすでにあと二時間で日が暮れる頃だったし、もうそのくらいの時間は経過して、間もなく夜になることが感じられた。

藪《やぶ》をぬけて、切り株ばかりの畑に踏みこむ、それからくねくねと曲がって峡谷に通じている下り坂の伐採道路に出る。切り株は新しかった。木が伐《き》り倒されたのはその年だったのだ。春だったかもしれない。道は折れ曲がって峡谷に通じていた。

雨が小降りになった、と思うともう降り止《や》んで、異様な感じの沈黙があらゆるものの上に落ちかかった。もう黄昏《たそがれ》、それも長くは続くまい。

伐採道路に曲がり角があった、と思うと、不意になんの予告もなく、わたしのひそかな「どこでもない場所」のどまんなかに一軒の家が現われたのだ。わたしは気に喰わなかった。

家は古い自動車にぐるりととり囲まれていたが、それは大きな掘立小屋と呼ぶのがもっともふさわしく、木材伐採の機具などが放ったらかしにされて転がっていた。

わたしはその家がそこにあってほしくなかった。雨のもやが晴れたので、振り向いて山を仰ぎ見た。ずっとわたしはたった独りだと思いこんで、たった半マイルほどの道を下ってきたにすぎなかったのだ。

お笑い草だった。

わたしのいる道路に面して、その掘立小屋的家には窓がひとつあった。窓にはなにも見えない。そろそろ夜だというのに、まだ明りが灯《とも》されていない。煙突から重そうな黒い煙が出ていたから、その家に誰かいるということはわかった。

わたしが家に近づくと、玄関の扉がバタンと開き、子供がひとり、間に合わせにこしらえた粗造りのポーチへ駆け出した。子供は靴もはいていなければ上着も着ていない。その男の子は九歳ぐらいで、髪の毛のなかでは四六時中風が吹き荒れているのではないかと思えるほどに、そのブロンドの髪はぼうぼうだった。

彼は九歳より年上に見え、彼のあとからすぐにそれぞれ三歳、五歳、七歳の妹たちが駆け出してきた。妹たちも靴をはいていない、上着も着ていない。妹たちも実際よりも年かさに見えた。

黄昏のひっそりとした呪縛《じゅばく》が不意に解けて、また雨が降りだした。ところが、子供たちは家に入らない。ただポーチにつっ立って、びしょ濡《ぬ》れになりながらわたしを見ていた。

たしかに、すでに宵闇《よいやみ》が迫っているというのに、この名もない場所のまっただなか、ぬかるみの細々とした道を、夜の雨に銃身を濡らすまいと30／30口径をしっかりと腕に抱えて降りてきたわたしは奇怪な光景であったにちがいない。

わたしがそこを通り過ぎたとき、子供たちはなにもいわなかった。妹たちの髪の毛は侏儒《こびと》の魔女のそれのようにもじゃもじゃに乱れていた。子供たちの両親の姿は見えなかった。家には明りが全然ついていない。

家の前にモデルAトラックが横倒しになっていた。三個の、五〇ガロン用の油のドラム鑵《かん》のかたわらに。これらの物にはもう用途はなかった。錆《さ》びたケーブルの切れ端がいくつか転っていた。黄色い犬が出てきて、わたしをじっと見つめる。

そこを通り過ぎたわたしは一言もいわなかった。子供たちはもうぐしょ濡れだ。ポーチの上の彼らは沈黙のなかにじっと身を寄せあっていた。これが人生だ、とわたしは思わずにはいられなかった。

ずっと昔、人々はアメリカに住むと決めた

ほんとに誰か新しい相手と寝たいなぁ、と考えながら、わたしはぶらぶら歩いていた。冬の日の寒い午後、なんだか狂おしく、ただなんとなくそんなことを思っていると、と、どうだ——

背の高い、わたしは背の高い女たちにからきし弱いんだよ、背の高い娘がひとり、リーヴァイスのジーンズをつけて若い獣のように無頓着《むとんちゃく》な態度で、道をやってくるではないか。五フィート九インチくらいだな。ブルーのセーターを着ている。その下の乳房は緊《し》めつけられていないから、固く若々しい波を打って揺れる。

靴をはいていない。

ヒッピー娘なのだ。

髪が長い。

じぶんがどれほど美しいか、彼女は知らない。それがいい。わたしはそういうのを見ると興奮してしまう。もっとも、たったいまはいずれにしても女たちのことを考えていたのだから、興奮するのはたいして難しいことじゃないが。

すれ違いざまに、彼女がわたしのほうを向いた、全然予期していなかったことだ。彼女がいう、

「どこかで会ったことなかったかしら？」

すごいぜ！　彼女がわたしのすぐそばに立っているんだ。ほんとに背が高いや！

わたしは彼女のことをじっと見る。会ったことがあるかどうか、思い出そうとしてるのだ。もと恋人だったとか、いや、ただどこかで会ったことがあるとか、それとも酔ったときに誘ってみたことがあるとか。じっと目を凝らして見ると、新鮮な若々しい美しさだ。なんともすばらしい青い目をしてる、でも、誰だか思い出せない。

「前に会ったことがあるのよ」と、わたしの顔をじっと見上げるようにして、彼女はいう。「なんていう名前なの？」

「クラレンスだ」

「クラレンス？」

「そう、クラレンスさ」

「じゃあ、あたしあなたを知らない」

なんだかいい加減な態度だ。

歩道の上で彼女の足は冷たかったから、背を丸くして、寒そうな格好でわたしのほうに身をかがめていた。

「きみの名前は？」とわたしは訊《たず》ねる。誘ってみようかな。そう、まさにこの瞬間、わたしはその行為に出ているべきなのだ。いや、そうすべき時からすでに三〇秒も遅れてしまった。

「ウィロー・ウーマンよ」と彼女がいう。「ヘイト・アッシュベリーへ行くところなの。スポケーンから着いたばかり」

「ぼくなら行かないよ」とわたしはいった。「あそこはとてもひどいよ」

「ヘイト・アッシュベリーに友達がいるのよ」と彼女はいう。

「ひどいところだぜ」とわたしがいう。

彼女は肩をすくめ、困ったように爪先《つまさき》を見下している。それから顔を上げるのだが、目には親しげな、そして傷ついた表情が浮んでいる。

「これしかないのよ」と彼女はいう。

(着ているもののことをいったのだ)

「それから、ポケットにあるものだけ」

（彼女の目がジーンズの左うしろポケットの方をちらりと見やる）

「あそこまで行けば、友達が助けてくれるのよ」と彼女はいう。

（三マイル先のヘイト・アッシュベリーの方角にちらりと視線を走らせて）

突然、彼女は落ち着きを失う。どうすればよいのか、よくわからなくなってしまったのだ。二歩後へ退《さが》る。北の方角へ。

「あたし……」と彼女はいう。

「あたし……」また冷たい足を見下して。

うしろへ、さらに半歩さがる。

「あたし」

「あたしは泣きごとはいいたくない」といった。

現在の状況に、すっかりうんざりしている。もう行こう。彼女が望んでいたようには事は運ばなかった。

「助けてあげよう」とわたしがいう。

わたしはポケットに手をつっこむ。

奇跡でも起ったみたいにたちまちほっとして、彼女はわたしに歩み寄る。

わたしは彼女に一ドルやる。誘いをかけようと思っていたことをどこかにすっかり置いてきてしまって。それがそもそもの計画だったのに。

一ドルももらったことが信じられなくて、彼女はわたしに抱きついて、頬に接吻《せっぷん》した。からだが暖かく、親しげにやさしい。

ふたりでうまくやることもできたのだ。そういう成行きを実現するためにあることばをいうこともできたのに、誘いをかける糸口を失ってしまい、糸口がいったいどこへ行ってしまったのかわからないわたしは、なにもいわない。彼女はその先彼女が出会うすべての人々の方角へ美しく発《た》って行く、わたしはせいぜい幻の記憶ていどになる、彼女はその先で彼女が生きるすべての生活の方角へ向う。

わたしとの生はたったいま、もう終ってしまった。

彼女はもういない。

カリフォルニアの宗教・小史

そのことを話すのには、ただひとつの始めかたしかない。わたしたちは草原に鹿《しか》を見た。鹿たちはゆっくりと輪になって、それから輪をくずすと、木立のほうへ行ってしまった。

草原には三頭の鹿がいて、わたしたちも三人連れだった。わたしと友人と三歳半になるわたしの娘だ。「ごらんよ、鹿だ」鹿のほうを指さして、わたしはいった。「鹿を見て！　ほら！　ほら！」といって、彼女は前座席で彼女を抱いているわたしに対して波立つように動いた。鹿たちから彼女に電波が伝わったのだ。三頭の灰色の牡鹿《おじか》は木立に消えた。

ヨセミテ公園のキャンプに戻る道すがら、彼女は鹿のことを話すのだった。「あの鹿たち、ほんとにすごいね」と彼女はいった。「あたし鹿になりたい」

キャンプ地へ入るために角を曲がると、入口のところに三頭の鹿が立っていて、わたしたちを見ていた。さっきのと同じ三頭だろうか、それともちがう三頭だろうか。「ほら、鹿を見て！」わたしにさっきと同じ電流が伝わる。クリスマス・ツリーの豆電球の二、三個に明りをともしたり、扇風機を一分間回したり、パンの半切れぐらいならトーストにできるほどの電流だ。

鹿速度でキャンプ地へ車を走らせていたら、鹿たちはわたしたちの車の後にぴったりとついてきた。車から降りると、鹿たちもそこにいた。娘が鹿たちのほうへ駆けだす。すごい！　鹿よ！

わたしは彼女をなだめた。「待ちなさい」とわたしはいった。「おとうちゃんと手をつなぐんだよ」娘が鹿を怯《おび》えさせてもいけないし、鹿に怪我《けが》をさせられてもいけない。恐慌《きょうこう》をきたして娘が踏み潰《つぶ》されたりしたら困る。でもそれはほとんどありえないことだ。

わたしたちは少し奥へ入ったところまで鹿の後からついて行って、そこで立ち止まり、鹿たちが川を渡るのを眺めた。川は浅く、鹿たちはまんなかで足を止め、それぞれ三つの違った方角を見ていた。

しばらくは黙りこくって、娘は鹿たちを見つめていた。鹿たちのなんという静寂、そして美しさ。やがて、「おとうちゃん、鹿の頭をとってきて、あたしの頭にのせてちょうだい。鹿の足をとってきて、あたしの足にはかせてちょうだい。ちょうだい。そしたら、あたしは鹿になるもの」と娘はいった。

鹿たちは三つの違った方角を見るのをやめてしまった。三頭とも川の向う岸の木立の方角を見て、そして木立のなかへ消えてしまった。

さて、翌日の朝、その日は日曜日だったので、キリスト教徒の一団がわたしたちのそばでキャンプをしていた。およそ二、三〇人で、長い木のテーブルのところに坐《すわ》っていた。わたしたちがテントを畳んでいると、彼らは讃美歌《さんびか》をうたっていた。わたしの娘は連中をじっと見ていたが、やがて歩いて行って、うたっている彼らを木蔭《こかげ》からそっとのぞくのだった。彼らを指揮している男がいた。空中で手を振っていた。きっと牧師だろう。

娘は目を凝らしていたが、木の蔭から出てそっと近よる、牧師のまうしろまで行って、彼を見上げた。牧師はそこに独りで立っていた、娘はその彼と一緒にそこに独りで立っているのだった。

わたしは地面から金属のテントの杭《くい》を引き抜いてきちんとまとめ、それからテントを畳んで杭のかたわらに置いた。

そのとき、キリスト教徒の女のひとりが長いテーブルから立ち上ると、わたしの娘に近づいた。わたしはそれを見ていた。彼女は娘にケーキをひときれ与え、腰かけて歌を聴かないかと訊《たず》ねた。連中はイエスが彼らのためになにか善いことをしてくれると夢中でうたっていた。

娘はうなずくと、地面に腰を下した。膝《ひざ》の上にケーキを置いて。彼女はそこに五分間坐っていた。ケーキは一口も食べない。

連中はこんどはマリアとヨセフがどうしたとかうたっていた。その歌によれば、時は冬で寒く、馬小屋にはわらがある、というのだった。いい匂《にお》いがした。

娘は五分ほど聴いてから立ち上り、「われらは東方の賢人」の最中にバイバイと手を振って、ケーキを手にして戻ってきた。

「それで、どうだったの？」とわたしはいった。

「うたってるよ」と、連中がうたっているのを指さして、彼女は答えた。

「ケーキはうまいかい？」とわたしはいった。

「知らない」そういって、娘はそれを地面に投げ棄《す》てた。「朝ごはんはちゃんと食べたもの」ケーキはそこに転っていた。

わたしは三頭の鹿のことと、キリスト教徒たちの歌のことを考えた。わたしはケーキを眺め、その日一日を過すために鹿たちが行ってしまった川のほうを眺めた。地面で、ケーキはひどく小さく見えた。水が岩の上を流れる。鳥か動物があとでこのケーキを食べて、それから水を呑《の》みに川へ下りて行くだろう。あるちょっとしたことがわたしの心に浮かんだので、他にしようもないし、それに嬉《うれ》しかったので、一本の木を腕で抱くようにした。わたしの頬が甘い樹皮へ向かう、そして、それは静けさのなか、やさしさあふれるほんの数秒間、そこに漂っていたのだった。

いまいましい四月

いまいましくもいまいましいこの四月初旬は、ひとりの若い女性が玄関の扉に残して行った手紙とともにはじまる。わたしは手紙を読み、いったいなんのことだよ、と考える。

こんなこと、もうわたしの歳《とし》じゃだめだ。なにもかもきちんと憶《おぼ》えておくなんてできないんだから、わたしは娘を迎えに行って、その方面でわたしの最善をつくすことにする。公園へ連れて行って遊ばせるのだ。

ほんとうはベッドを出たくはないのだが、でも便所へ行かなくてはならない。便所の帰りに、玄関の扉のガラス窓になにかが結びつけてあるのを見つけた。ガラスに影がうつるからだ。

わたしの知ったことか。四月上旬には、そういう複雑なことがらはべつの誰かに処置してもらいたい。便所へ行ってくるだけでこちとらはせいいっぱいなのだ。わたしは寝床へ戻る。

わたしの嫌いな誰かが犬を散歩させている、という夢を見る。長い長い夢だ。そいつは犬に歌をうたってやっているのだが、なんの歌だかわからないので、じっと耳をすませて聴いてみるが、やはりわからない。

すっかり退屈しきって、わたしは目覚める。この先の人生をいったいどう生きたらいいのだろうか？　わたしは二九歳。わたしは扉から手紙をとりはずし、また寝床に戻る。

頭の上にまでシーツを被《かぶ》って、わたしはその手紙を読む。明りはじゅうぶんとはいえないが、それでもきょうわたしが体験したどのことよりもましだ。手紙は若い女性からだ。

今朝ずいぶんそおっとやってきて、わたしの玄関にこれを置いて行ったのだ。手紙は、つい先頃ひどく取り乱したことについて謝っているのだった。謎々《なぞなぞ》の形式で書いてある。どういうことだかわからない。謎々なんてもともと嫌いなんだ。勝手にしやがれ。

わたしは娘を迎えに行って、それからポーツマス公園の遊園地へ連れて行く。さっきからのこの一時間、わたしは娘を見守ってきた。ときどき視線をはずしては、これを書いたのだ。

わたしは考えている。いまいましくもいまいましい四月初旬、いつかわたしの娘も男の玄関に一通の手紙を置いて立ち去ることになるのだろうか、すると、男はシーツを頭から被るようにして、ベッドでその手紙を読む、それからじぶんの娘を公園に連れて行って、砂場で青いバケツを手に遊んでいる娘の姿を見るためにたったいまわたしがしたように、その男も面を上げることになるのだろうか。

一九三九年のある午後のこと

四歳になるわたしの娘にわたしがいつもいつも話してやる話がある。娘はその話からなにかを得るらしく、繰り返し繰り返し聞きたがる。

寝る時間がくると娘はいう、「おとうちゃん、子供のときに、岩のなかに入った話、してちょうだい」

「いいとも」

娘はあたかもじぶんの意志で自在になる雲でも扱うように、毛布をからだにぴったりと引き寄せ、親指を口につっこんで、それからじっと聴き入る青い目でわたしを見る。

「むかしむかし、わたしは子供で、ちょうどきみの歳《とし》でありました。わたしのおとうさんとおかあさんがレイニア山へピクニックに連れて行ってくれたのです。古い自動車に乗って行きましたところ、道路のまんなかに一頭の鹿《しか》が立っているのでした。やがて、わたしたちは野原へやってきましたが、そこでは木立の蔭《かげ》に雪があったのです。お陽さまがささないところには雪があったのです。野原には野生の花が咲いていて、きれいでした。野原のまんなかには大きなまあるい岩がひとつありましたので、おとうちゃんはその岩のところまで歩いて行ってみました。すると、岩のまんなかに穴が見つかりましたので、なかを覗《のぞ》いてみたのです。岩はまるで小さなお部屋のようにガランドウでした。

おとうちゃんは岩のなかへ這《は》って入り、そこに坐《すわ》ると、青い空と野の花々をじっと見ていました。おとうちゃんはその岩がすっかり気に入ってしまいましたので、そこを家だと思うことにして、その日の午後はずっと、その岩のなかで遊びました。

おとうちゃんは小さな石を拾ってきて、大きな岩のなかへ持ちこみました。小さな石はかまどや家具やなんかだということにして、野の花を使って食事の用意をしたのです」

それで話はおしまい。

すると、娘は深い青さをたたえた目でわたしを見上げ、岩のなかで野生の花を挽肉《ひきにく》にして、それを小さなかまどのような石ころの上で焼いている子供としてわたしを見るのだ。

娘はこの話をいくらしてもらってもまだ聞きたりない。もう三、四〇回も聞いているのに、まだまだ話してくれとせがむ。

彼女にはとても大切な話なのだ。

娘は、まだ子供で彼女の同時代人であった頃の父親を見出《みいだ》すためのクリストファー・コロンブス的な戸口として、この話を聞くのだ、とわたしは思う。

伍長《ごちょう》

わたしは将軍になることを夢想した。それは第二次世界大戦が始まったばかりの頃のタコマで、わたしは小学校へ通う子供だった。そのとき、軍隊の階級制を利用して非常に巧妙に仕組まれた「新聞紙集め大運動」があった。

それはとても刺戟《しげき》的で、こんな風に運営されていたのだ——新聞紙を五〇ポンド持って行くと兵卒《プライベート》で、七五ポンド持って行くと伍長の袖章《そでしょう》をくれる、一〇〇ポンドなら軍曹、そして、新聞紙の重さが増すごとに位も上り、ついには将軍、ということになるのだった。

将軍になるためには一トンぐらいの新聞紙が必要だったのではなかったかな。いや、たったの一〇〇〇ポンドだったかもしれない。どうも正確な量は思い出せないのだが、はじめは将軍になるために必要な新聞紙を集めることなどひどくたやすく思われた。

わたしはまず手はじめに家のなかに何気なく散らばっている新聞紙を集めた。それで三、四ポンドになった。やや失望したことを認めよう。家のなかには新聞紙がごっそりある、と考えていた理由はわたしにはわからない。実際、新聞紙はもうそこらじゅうにあるものだと思いこんでいたのだ。新聞紙は見かけによらぬものである、とはなかなか興味深い発見ではないか。

でも、それで諦《あきら》めたりはしなかった。わたしはわたしのエネルギーを結集し、新聞紙集め大運動に出してもらえる新聞紙か雑誌が手元にありませんか、そうすれば戦争に勝って、永遠に悪を破壊することができるのです、と戸別訪問して頼んで歩いた。

あるお婆《ばあ》さんはわたしの口上を辛抱づよく聞いていたが、やがて、たったいま読み終ったばかりの『ライフ』を一冊くれた。手に置かれたその雑誌を呆然《ぼうぜん》と眺めるわたしがまだそこに立っている前で、彼女は扉を閉めた。雑誌にはぬくもりがあった。

その隣の家では、よその子供に先を越されて新聞紙は一枚もなかった、使い古しの封筒さえなかった。

その隣は留守だった。

そんな風にして一週間が過ぎた。扉から扉へ、家から家へ、そしてブロックからブロックへ、ついに兵卒になるのにじゅうぶんなだけの新聞紙を集めた。

わたしはポケットの奥の奥にそのいまいましくもちっぽけな兵卒の袖章をしまって家へ帰った。わたしの家があるそのブロックには、すでに中尉《ちゅうい》や大尉などの新聞紙将校たちがいたのだ。わたしは上着に袖章を縫いつけてもらおうともしなかった。ただ抽斗《ひきだし》につっこんで、靴下でかくしてしまった。

その後の二、三日をわたしはすねた気分で新聞紙探しに費したが、運よく誰かの地下室にあった「コーリア」誌のまあまあという束にあたって、それで伍長の袖章をもらうことになったが、その袖章もただちに靴下の下の兵卒の袖章の仲間に加わることになった。

すごくいい服を着て、小遣いもたくさんあり、昼食はいつも食堂で温かいものを食べているような子供たちはすでに将軍になっていた。連中はどこに行けばたくさんの新聞紙があるのか知っていたし、親たちは自動車を持っていた。彼らは校庭や学校の帰り途《みち》、もったいぶって軍人風を吹かせた。

そのすぐあと、翌日ぐらいだったか、わたしは栄光の軍歴に終止符を打ち、アメリカの、紙のように空《むな》しい幻滅の、影の領域へ踏み入った。アメリカ、そこでは挫折《ざせつ》とは不渡り小切手のこと、あるいは悪い通信簿のこと、あるいは恋の終りを告げる一通の手紙や読む人々を傷つけるすべてのことばのことである。

糸くず

ことばで表わすことのできない感情と、ことばでよりはむしろ糸くずの世界をもって描かれるべきできごとに、今夜のわたしは取り憑《つ》かれている。わたしの子供時代のかけらたちのことを考えていた。それらは形もなく意味もない遠い生活のかけら。ちょうど糸くずのようなことがらなのだ。

ドイツおよび日本両国全史

ほんの数年前のこと（第二次世界大戦）だが、わたしはスウィフト社の出荷工場の隣にあったモテルに住んでいた。出荷工場とは、屠畜場のことを感じよくいったものだ。

そこでは豚を殺していた。

たえ間もなく、くる日もくる日も、くる週もくる週も、春が夏になり夏が秋になるまで、そこでは豚を殺していた。豚たちの喉元《のどもと》を掻《か》き切ると、オペラをごみ屑《くず》用のディスポーザーにかけたらかくやと思われるようなキーキー声の哀歌が聞こえてくるのだった。

あれほど多くの豚を殺すことは戦争に勝つことと関係があると、なぜかわたしは考えていた。きっと他のあらゆることが戦争に勝つことと関連していたからそう思ったのだろう。

そのモテルに寝起きしていた最初の一、二週間は、それがひどく気にかかってしようがなかった。ひっきりなしの悲鳴を聞いているのは楽じゃない。でも、やがてそれになれてしまい、そうするともうその悲鳴は、木枝の鳥の歌声、正午を告げる号笛、ラジオの音、走り過ぎるトラックの音、人間の声、ごはんですよお、と知らせる声などのような他の音となんら違わないものになってしまった。「遊ブノハ、ゴハンヲ食ベテシマッテカラニシナサイヨッ！」

豚の悲鳴が聞こえないと、静寂は故障した機械のような音を立てた。

競売

雨降りの太平洋岸北西部の競売で、子供らはいろんな物にぶつかりながらそこらじゅ《ゆ》うを駆けまわり、農家の女たちは箱に入った果物の空瓶だとか、古着だとか、家に置く家具だとかそういう物を買おうとしていて、男たちは鞍《くら》だとか農具だとか家畜に関心を寄せていた。

競売は土曜日の午後で、古い納屋《なや》兼馬小屋的建物のなかで催され、使い古された熱気を漂わせていた。

競売人は猛烈な速さで売ったから、人々は翌年までは売り出される予定のないものまでついうっかり落札してしまいかねなかった。競売人は義歯《いれば》をしていて、それは骸《がい》骨《こっ》の口の中で蟋蟀《こおろぎ》たちが飛んだり跳ねたりするような音を立てる。

使い古しの玩具が入った箱が競売に出されると、いつも必ず子供らは親たちにヤイヤイうるさくせっつくので、黙らなければ革帯で打つよといって脅かされる。「お黙りよ、さもないと、ひどく痛い目に会うからね」

いつも、牛や羊や馬や兎《うさぎ》たちが新しい主人が決るのを待っている、鼻をかみながら暗澹《あんたん》とした面持ちで何羽かの鶏を買おうか買うまいかと考えこんでいる農夫の姿がある。

雨降りの冬の午後はよかった。競売場にはトタン屋根がついていて、その中にはすべてのものの間に湿った、すばらしい親密感がみなぎっていたからだ。

埃《ほこり》っぽいガラスと開拓者の髭《ひげ》みたいな黄色の長い板でできたなんとも古めかしいケースには、かびくさいようなキャンディの箱が入っていた。一箱五〇セントで、もうじつに古かったが、わたしは子供風の理由から、それを齧《かじ》るのが好きで、二五セントをなんとかして手に入れては、一箱を一緒に半分ずつ買う相手を見つける、そのようにして、一九四七年、わたしは一二本の古くかびくさいキャンディを手に入れた。

装甲車

ジャニスに

わたしはベッドと電話のある部屋に住んでいた。それしかなかった。ある朝のこと、ベッドに横になっていると、電話が鳴った。窓の日除《ひよ》けが下りていて、外はどしゃ降りの雨だった。まだ暗い。

「もしもし」とわたしはいった。

「ピストルを発明したのは誰だ？」と男の声が訊《たず》ねた。

電話を切るより早く、わたしじしんの声がアナーキストみたいにわたしのからだを脱出して答えてしまった、「サミュエル・コルトだ」

「あっ、薪《まき》が当りましたよ」とその男がいう。

「きみは誰？」とわたしは訊ねた。

「これはコンテストでね」と彼はいった。「あなたは薪を当てたんですよ」

「ぼくにはストーブがないからね」とわたしはいった。「下宿してるんだ。暖房はない」

「薪のほかになにか欲しいものがありますか？」と男はいった。

「うん、万年筆がいい」

「わかりました、お送りしましょう。住所は？」

わたしは住所を告げて、コンテストの主催者は誰かと訊ねた。

「そんなことはどうでもいいんですよ」と彼はいった。「明日の朝、万年筆が郵便で届きますよ。あっ、そうそう、とくに好きな色がありますか。つい、たずねるのを忘れるところでした」

「ブルーでいいですよ」

「ブルーのは一本も残ってないんですよね。ほかの色ではどうです？　グリーンなんか、どうです？　グリーンの万年筆はたくさんありますから」

「そう、じゃあ、グリーンでいいや」

「明日の朝、郵便で届きますよ」と彼はいった。

それは届かなかった。その後もついに届かなかった。

わたしがこれまでに当てて、そして実際に受けとったことがあるものはただ一つ、それは一台の装甲車である。わたしは子供の頃、新聞配達をしていたが、町境になっている何マイルも続くでこぼこ道を配達して歩いた。

両側が牧草地になっていて、はずれに古いすものの果樹園がある道に沿って、わたしは自転車で坂を下りなければならなかった。果樹園の木が一部伐《き》り倒されて、そこに四軒の新しい家が建てられた。

そのうちの一軒の家の前に駐車してあったのが装甲車だった。そこは小さな町だったから、装甲車の運転手はその日の仕事が終ると装甲車を運転して家へ帰ったのだ。そして、自宅の前に停めた。

朝、わたしが六時前にそこを通ると、家々ではまだみんな眠っていた。朝でも、陽がさしていれば、四分の一マイルぐらいの距離から装甲車が見えた。

わたしは装甲車が気に入っていて、自転車を降りるとそこまで歩いて行ってじっと見つめたり、重い金属をコツコツと叩《たた》いたり、防弾ガラスの窓からなかを覗《のぞ》いたり、タイヤを蹴《け》ったりするのだった。

朝は誰もかれも眠っていて、わたしはそこに独りきり、だから、いつしかその装甲車はわたしのものと考えるようになり、然《しか》るべくとり扱うようになったのである。

ある朝のこと、わたしは装甲車に乗りこんで新聞を配達した。子供が装甲車で新聞を配達している光景は奇異だった。

かなり楽しかったので、毎朝そうするようになった。

「ごらん、ほら装甲車で新聞を配達するあの子だよ」早起きの人たちはそういった。

「気がふれてるよ、あのガキは」

わたしがこれまでに当てたものといったらそれだけ。

カリフォルニア一九六四年の文学生活

I

ゆうべ、わたしはバーで友人と話をしていたが、彼は離れてカウンターに坐《すわ》っているじぶんの女房にときどき視線をやる。ふたりは二年間も別居していた。のぞみなしだ。

女房はべつの男といちゃついていた。そこのふたりはかなり楽しんでいる風だった。

友人はわたしのほうに向き直ると、わたしの二冊の詩集について訊《たず》ねた。わたしはあまり名を知られていない二流の詩人だが、それでも、ときにはそういう質問をされることもあった。

彼は以前はその二冊の詩集を持っていた、でも、いまはもう持ってないといった。なくなってしまった。そのうちの一冊は絶版になったこと、もう一冊のほうなら〈シティ・ライツ・ブックストア〉で売っているとわたしは答えた。

彼は女房のほうを見た。彼女は相手の男がいったことをおかしいと思って笑ったので、男はかなりじぶんに満足した。そんなものなのだ。

「おれ、うちあけることがある」と友人がいった。「ある晩おれが仕事から帰ってきたら、おれの女房ときみがさ、スイート・ベルモットを呑《の》んで一緒に酔っ払ってたことがあったろ?」

べつになにもあったわけではないのだけれど、それでもわたしはその晩のことを憶《おぼ》えていた。わたしたちはただ台所で腰かけて、レコードを聴いて、スイート・ベルモットで酔っ払っていた。それと似たりよったりのことをしていた人々はアメリカじゅうに何千人といたことだろう。

「でさ、きみが帰ってしまうと、おれは本棚から例の二冊の詩集を取りだして引き裂いてさ、床に投げ出したんだ。王の馬たち、王の家来たちをもってしても、詩集を元どおりにすることはできないほど徹底的にな」

「楽あれば、苦ありさ」

「なんだって？」と彼はいった。

ちょっと酔いがまわっていた。彼の前のカウンターにはビール瓶が三本空になっていた。ラベルはていねいにはがしてある。

「ぼくは詩を書くだけさ」とわたしはいった。「ぼくは書き物の番人じゃない。永久にその面倒を見るわけにはいかないよ。番人をするなんて、おかしいじゃないか」

わたしもちょっと酔いがまわっていた。

「まあ、どういうことだとしてもさ」と友人はいった。「またあの本を手に入れたいのさ。どこで買えるかな？」

「一冊はね、もう絶版になって五年もたつ。もう一冊は〈シティ・ライツ〉で手に入るよ」とわたしは答えたが、スイート・ベルモットで提灯《ちょうちん》のように輝いていたわたしがその家の台所を去って家へ帰った後そこでどんなことが起ったのだろう、とあれこれ想像をめぐらしたり映像的に心に描いてみたりしていた最中で、心ここにあらずだった。

詩集を取りだし引き裂く前に彼が彼女にいったこと。彼女がいったこと、それから彼がいったこと、どちらの詩集が先に破かれたか、どんなやりかたで引き裂いたのか。ああ、健康な怒りのすばらしき表現、そして、そのあと始末。

2

一年前のこと、わたしは〈シティ・ライツ〉にいて、誰かがわたしの詩集を見ているのに気づいた。彼はその本が気に入っているようだったが、その満足にはどこか躊躇《ためらい》があった。ふたたび表紙を眺め、ページを繰る。あたかもページが時計の針でもあるかのように彼はそれを止める、そして、その時の時間に満足そうな表情になった。彼はその本の七時の詩を読んだ。しかし、そのあと、ふたたび躊躇が訪れて時間を曇らせてしまった。

本を棚に戻しては、また棚から取りだす。躊躇はそわそわと落ち着かないエネルギーになっていった。

ついに、彼はポケットに手を突っこむと一セント玉を取りだした。本を脇《わき》の下に抱える。本はそこで巣となり、詩は卵だった。一セント玉を空中に放り上げて、それをとらえてから、手の甲の上にパタリと置いた。そして、かぶせていたほうの手をはずす。

本を棚に返して、彼は書店を去った。出て行く彼はとても落ち着いているように見えた。わたしがそこへ行ってみると、床の上に彼の躊躇が落ちているのを発見した。それは粘土みたいなものだったが、落ち着かず、そわそわしていた。わたしはそれをポケットに入れた。家へそれを持ち帰ったわたしは、ほかにすることもないので、それをこういう形にしてみたのだ。

みずから選びし旗じるし

酔って女と寝て、酔って女とは寝ず、そしてまた酔って女と寝る、どちらでも同じこと。わたしはまたしてもそんな情況にあるのだ。しばらくここを離れていたわたし、そしていつもきまって戻ってくることになってしまうわたし、そして、おそらく結局はそれでよいのだろうが。

戻ってきて、銅像が立てられているでもなし、花束を受けとるでもなし、「さあ、こんどこそは、城に新しい旗をかかげましょう。そのとき、旗はあなたじしんが選ぶのですよ」といってふたたびわたしの手をとってくれる恋人もいない。わたしの手をとってくれるおまえは……。

わたしにはそういうことはないのだ。

わたしのタイプライターはまるで天空を逃げだしてきたばかりの馬のように素早く

沈黙を駆けぬける。ことばが整然と、ギャロップで走る。そとは、陽がさしている。

ひょっとしたらことばたちがわたしのことを憶《おぼ》えていてくれるかもしれない。

きょうは一九六四年三月の四日。裏手のポーチで鳥たちが鳴いている。鳥小屋にいる連中だ。わたしは連中と声を合わせてうたおうとする……酔って女と寝て、酔って女とは寝ず、酔ってまた女と寝る、わたしはふたたび、この町にもどってきた。

カリフォルニア一九六四年において高名であること

I

名声が、きみを圧《お》し潰《つぶ》している岩の下にかなてこを差し入れ、ぐいと持ち上げ、七匹の甲虫《かぶとむし》の幼虫と一匹のわらじ虫ともども、きみに光をあててくれる、これはなんともすばらしい。

そうするとどんなことが起こるか話してあげよう。二、三か月前のことだったが、友人がわたしのところへやってきていうのだった、「書き終えたばかりの小説にきみが登場するんだよ」

それを聞いたわたしはじつに意気揚々としたものだ。たちまち、ロマンチックな主人公、もしくは悪漢としてのわたしを想《おも》い描いてみた。「彼は彼女の乳房に手を置いた、すると熱い息吹《いぶ》きで彼女の眼鏡は曇ってしまった」とか「彼女が泣いている間も彼は笑っていた。それからあたかも汚れ物の入った洗濯袋でも扱うみたいに彼女を階段から蹴落《けおと》した」

「きみの小説でぼくはなにをするんだい?」とわたしは訊《たず》ね、すばらしいことばが聞けるだろうと待った。

「ドアを開けるんだ」と彼はいった。

「ほかにはなにをするんだい?」

「いや、それだけだ」

「そう」とわたしはいった。名声を傷つけられて、わたしはいった。「もうちょっとなんとかできなかったのかい? 二つのドアを開ける、とかさ? 誰かに接吻《せっぷん》するとか?」

「そのドアひとつでじゅうぶんなんだ」と彼はいった。「きみには非のうちどころがなかった」

「ドアを開けたときは、なにかいったかい?」わたしはまだ希望を棄《す》てていなかった。

「いわなかったよ」

2

先週のことだったが、写真家の友人に会った。一緒にバーのはしごをやっていたのだ。彼が何枚かの写真を撮った。彼は若手の用心深い写真家で、まるでピストルみたいにカメラを上着の下に匿《かく》している。

じぶんのしていることを人に知られたくないのだ。ほんとうの生きざまをとらえたい。人にそわそわされたり、映画スターみたいに振舞われるのは困る。

逃走に成功した銀行強盗みたいに、彼はさっとカメラを取りだす——あたかも、もとは何の変哲もないインディアナ州にいた若者だったがいまや王侯貴族や大企業家に囲まれて、外国人風の訛《なま》りを身につけ、スイスに暮らす、という銀行強盗であるかのように。

昨日、またその写真家に会ったら、あの夜に撮った写真を大きく引き伸ばしたプリントを持っていた。

「きみの写真を撮ったんだよ」と彼はいった。「見せてあげよう」

まず一二、三枚のプリントを見せてくれて、それからその次のに移ると、彼はいった、「ほらね！」それはひとりの老婆《ろうば》がくだらないマーティニを呑《の》んでいる写真だった。

「ほら、きみだよ」

「どこさ？」とわたしはきいた。「ぼくはばばあじゃない」

「もちろんちがうさ」と彼はいった。「テーブルの上にあるの、それきみの手だよ」

じいっと覗《のぞ》きこむようにして写真をよく見ると、なるほど、しかし、七匹の甲虫の幼虫と一匹のわらじ虫はどうしちまったんだ？

あの羽のように薄いかなてこがわたしたちに光を見せてくれてからこのかた、虫たちはわたしよりはちょっとはましな目に会ったのだろうか。もしかしたら、もうじぶんのテレビ番組なんか持っていて、LPも出したとか、ヴァイキング社から小説も出版されて、「タイム」がかれらにインタビューしているかもしれない、「はじめはどんなふうだったのですか。ごじぶんのことばで表現するとしたら」

ある娘の思い出

あの娘の乳房を思い出さずに「消防士基金保険会社」の建物を眺めることはわたしにはできない。その建物はサン・フランシスコはプレシディオ通りとカリフォルニア通りが交るところに建っている。赤煉瓦《れんが》と青い色とガラスを使った建物で、かつてはカリフォルニアでも大変に高名な墓地だったその場所にポイと置かれて、まるで二流の哲学論文みたいに見える。

月桂樹の丘霊園《ローレル・ヒル・セメタリー》

一八五四—一九四六

一一名の連邦上院議会議員がそこに埋葬されていた。

彼らは、そして他の人々もずっと以前によそへ移されたのだが、それでもなお保険会社のかたわらには丈の高いしだれ糸杉が立っている。

それらの木たちはかつては墓に影を落していたのだった。木たちは昼間はすすり泣きと弔《とむら》いの一端を担《にな》い、夜には風の音だけが聞こえるしじまの一端を担っていた。

木たちは自問自答するのだろうか――死人たちは皆どこへ行っちまったのだろう？どこへ連れて行かれたんだろう？　死者たちを訪れてここへやってきた人々はいまはどこにいるのだろう？　なぜ、わたしたちだけがこうしてここにとり残された？

でも、こんな質問は詩的すぎるかもしれない。それより、ただこんな風にいうのがいちばんふさわしいのかもしれない――カリフォルニアでは、保険会社のすぐかたわらに四本の木が立っている、と。

九月のカリフォルニア

九月二二日は彼女が黒い水着を着て浜辺に横たわっているということ、そして注意深くみずからの体温を測定しているということを意味する。

彼女は美しい。背が高く色白で、明らかにモンゴメリー街のオフィスの秘書、サンノゼ州立大学へ三年間通ったタイプで、黒い水着を着て浜辺でじぶんの体温を測るのははじめてのことではない。

彼女は楽しそう、わたしは彼女から目をそらすことができない。体温計の彼方《かなた》にサン・フランシスコ湾を行く船。それは世界の向う側にある都市《まち》とかそういうところへ向うのだ。

彼女の髪の毛は船の色と同じ色。船長の姿さえ見えそう。船長は乗組員になにかいっている。

さて、彼女は体温計を口から取りだした。それを眺めて、にっこりする、ぶじだったわ、そして、それをライラック色の小さなケースにしまう。

水夫は船長のいうことを理解できなかった、そこで船長は同じことを繰り返すことになる。

習作・カリフォルニアの花

ああ、にわかに、そこへ到《いた》る道もただ空《むな》しく、そこへ着いてもひたすら空しい、そして、わたしはコーヒー店にいて、わたしの財産いっさいがっさい集めても買えないような服装をした女性が喋《しゃべ》るのを盗み聞きしている。

彼女は黄色と宝石とわたしには理解できない言語で身を飾っている。なんらの重要性もないことがらについて喋っているが、頑固に話題を変えない。どうしてわたしにそれがわかるかというと、彼女の連れの男がまったく彼女にとりあわず、ただ宇宙をぼおっと眺めているからである。

黒い小犬のようなエスプレッソ・コーヒーに伴われてそこに腰を下してからというもの、男は一言も口をきいていない。もう喋りたくないのかもしれない。彼は彼女の夫だろうとわたしは思う。

だしぬけに、女が英語にきりかえる。「あの男《ひと》わかってなきゃいけないわよ。じぶんの花のことなんだから」彼女はわたしが理解できるただひとつの言語でそういうのだが、それに対する答はかえってはこない。どうせはじめからなにがどうあれ、何も変わらないのだから。

わたしはつぎのように記すために生まれてきた、つまり――わたしはこの人たちを知らないし、花もわたしのものではない、と。

裏切られた王国

これはビート・ジェネレーションの最後の春にあった愛の物語。彼女もいまでは三〇代も半ばと思うが、なにをしているのだろうか、まだいまでもパーティに行くのだろうか。

彼女の名前はわたしの記憶にない。それは、わたしが忘れてしまったすべての名前の仲間入りをした。どこかで記憶が不連続になってしまった顔たちやもう目に浮かぶこともない綴《つづ》り文字が、波打ち際《ぎわ》の水たまりみたいになってわたしの頭のなかで渦巻いては流れて行ってしまう。彼女の名もその仲間入りをしてしまったのだ。

彼女はバークレーに住んでいて、わたしはその春のパーティでしじゅう彼女を見かけた。

彼女はセクシーな感じにすっかりめかしこんでパーティにやってきては、さかんにセクシーな雰囲気をふりまいて、ワインを呑み、男たちといちゃついた。さて、一二時がくると、その時彼女と寝たいと思っていた男に、――それがまたなぜかたいてい車をもったわたしの友達なのだが――おきまりの場面を演じてみせる。つぎつぎに彼らは彼女が用意していた悲運をその身に引き受けたのである。

「誰かバークレーまで車で帰るひとはいないかしら？　あたしバークレーへ帰るのだけど足がないの」と彼女はいつも一座に向って官能的にそういうのだった。真夜中をうっかり見失ったりしないように、彼女は小さな金時計をしていた。

きまって、ワインを呑みすぎていきおいのついたわたしの友達のひとりが、いいとも、と答え彼女をバークレーまで送って行く。すると、彼女は彼をじぶんのアパートのなかへ招き入れ、あげく、寝るつもりはないの、誰とも寝たりはしないのよ、でも、床に寝て泊るのはかまわないわ、というのだった。余分の毛布が一枚あったから。

わたしの友達はみんなサン・フランシスコへ車を運転して帰るには酔いすぎていたから、グリーンの軍隊毛布にくるまり、ちぢこまってそこの床に寝ることになる、朝になって目を覚ますと、痛風病みのコヨーテさながらのからだの痛み、しけたしけた気分。彼女が、コーヒーはいかが、朝食はいかが、などといってくれることは、金輪際なかったが、繰り返し彼女はバークレーへの足を確保していた。

それから二、三週間もたったころ、どこかのパーティでふたたび彼女を見かける、そして真夜中が訪れると、彼女はまた例のうたをうたうのだ。「誰か、バークレーまで車で帰るひとはいないかしら？　あたしバークレーに帰るのだけど足がないの」すると哀れな間抜け野郎が——それもいつもきまってわたしの友達だ——ひっかかって、あの床の毛布との出会いを果すことになるのだった。

明らかに、わたしは彼女に対してなにも感じなかったので、彼女のどこに魅力があるのか理解できなかった。もちろん、わたしは車を持っていなかった。だからかもしれない。車を持っていなくては、彼女の魅力はわかりっこない。

ある夜のこと、みんなワインを呑んで、音楽を聴いたりして楽しくやっていた。そう、ビート・ジェネレーションの、あの日々！　お喋《しゃべ》りとワインとジャズ！　わたしたちはべつとして、「バークレーの床」嬢は、すでに彼女の暖かいもてなしにあずかったわたしの友達たちはべつとして、行く先々で悦《よろこ》びをふりまいて、漂うがごとくあちらこちらと動きまわっていた。

そして真夜中になった！　「誰か、バークレーへ車で帰る人はいないかしら？」いつも同じことばを使っていた。きっと、とても効果があることばだったからだろうな。完璧《かんぺき》な効果があったのだ。

彼女との冒険談を話してくれた友人がわたしのほうを見てにやりとする、その冒険をいまだ体験したことのないもうひとりの友人が一夜のワインのせいでかなりの興奮を覚えて、彼女の釣針にくいつく。

「家まで車で送ってあげよう」彼はいった。

「まあ、すてき」とセクシーなほほえみを浮かべて彼女はいう。

「やっこさん、あの床で寝ることを楽しめるといいがな」わたしの友達が半分囁《ささや》くようにいったが、それは彼女にはじゅうぶん聞こえるが、彼には聞こえない、という声だ。だって、彼はバークレーのあの床と出会うべき運命にあったからである。

つまり、この娘が演じる場面は欺《あざむ》かれた者たちの間できわめて内輪の笑い草となり、連中は誰かがその滑稽《こっけい》なバークレー行きを実行するのを見てはおかしがっていた。

彼女がコートを取ると、ふたりはヨタヨタと出て行ったが、彼女じしんもちょっとワインをやりすぎて気分が悪くなり、車のところまで行くと、前のフェンダーいっぱいにゲロを吐きかけた。

胃を空にしてしまって少し気分がよくなると、わたしの友人は彼女をバークレーまで送って行った、そして例のくそいまいましき毛布を与えて彼女は彼を床に眠らせた。

翌朝、彼はサン・フランシスコに戻ってきた。からだは痛むし、宿酔《ふつかよい》だし、もうカンカンに腹がたっていたから、彼はフェンダーにくっついたゲロをついに洗い落とさなかった。裏切られた王国さながらフェンダーに付着したそれをほっておいて、ついに自然消滅するまで、彼は何か月もの間サン・フランシスコでその車を乗りまわしていた。

もし、人間にはちょっとした思いやりが必要だと考えないですむのなら、この話はおかしな話だ、といえるのだろうが、でも、ほんとに、ちょっとした思いやりを探し求めて人々が経験しなければならないくだらなさは、ときに、もの悲しい。

朝がきて、女たちは服を着る

それはほんとうに美しい価値転換だといえる。朝がきて、女たちが服を着る、そして彼女とはまあたらしい関係だったから、彼女が服を着るところを見るのは初めてだ——。

ふたりは恋人同士、一緒に眠ったところで、もうそのことはそれですんだ、だから、彼女は服を着る。

もう朝食もすませていたかもしれない、セーターをひっかけてすてきなお尻《しり》まるだしで、甘い肉体をもって台所を歩きまわりながら彼女は朝食をつくってくれたのだった。そして、ふたりはリルケの詩について長いこと話しあったが、彼女があまり詳しく知っているので、驚かされた。

しかしながら、すでに彼女が服を着る時間になった。なぜなら、ふたりともやたらにコーヒーを呑《の》んだのでもうそれ以上呑めないし、それに彼女は帰らなければならない、仕事に行かなくてはならない、きみは家にいてすることがあるので独りになりたい、一緒に外へ出てちょっと散歩でもしようかということになるが、すでに**きみ**がもう帰らなくてはならない、**きみ**が仕事に行かなくてはならない時間がきて、彼女も家でしたいことがあるとか……。

あるいは……ひょっとしたらふたりは愛しあっているのかもしれない。

いずれにせよ。もう、彼女が服を着る時間だ、そして、そうする彼女はとても美しい。からだがゆっくりと消えるが、そのあと、上手に服を着てふたたび現われ出る。その姿にはどこか処女的な特質がある。ほら、彼女は服を着た。それで始まりは終った。

デンヴァーのハロウィーン

「なにかおくれよ」といって子供たちがやってくることは予想していなかったから、彼女はそのためになにも買っておかなかった。それはそれでわかる、とは思わない？でも、そんなことがどんなことになるのか、書いてみよう。おもしろいかもしれない。

まず彼女の情況判断に対してわたしが反応を示すところから始まる——「ばかだな、子供たちのためになにか買っておいてやれよ。なんてったって、ぼくたちはテレグラフ・ヒルに住んでるんだ、このあたりは子供が多いから、絶対ここへもやってくるぞ」

わたしがそんないいかたをしたものだから彼女は店へ行って、二、三分後にガムの入ったカートンを手にして帰ってきた。「チクレット」というガムでそれぞれ小さな箱に入っている。カートンのなかにはずいぶんたくさんの箱が入っていた。

「これでいい？」と彼女はいった。

牡羊座《おひつじざ》なんだ。

「いいよ」とわたしはいった。

わたしは水甕座《みずがめざ》だ。

かぼちゃが二つあった。二つとも蠍座《さそりざ》だった。

そこで台所のテーブルで、わたしはかぼちゃを彫る。それはとても久しぶりに彫ったかぼちゃだった。なんとなく楽しかった。わたしのかぼちゃはいっぽうの目が丸くて、もういっぽうは三角、あまり賢そうには見えない魔女の笑いを浮かべていた。

彼女は甘く味つけた赤キャベツとソーセージですばらしい夕食を作って、しかも天火のなかには焼きりんごがはいっていた。

夕食のものがすばらしく煮えている間、彼女もじぶんのかぼちゃを彫った。でき上ったところを見ると、彼女のかぼちゃはとてもモダンな感じだった。「かぼちゃ提灯《ちょうちん》」というよりはむしろ電化製品のように見えた。

わたしたちがかぼちゃを彫っているあいだ、玄関の呼鈴は一度も鳴らなかった。「なんぞおくれ」の子供たちは全然姿を見せなかったが、わたしは恐慌《きょうこう》をきたしたりはしなかった。そりゃあ、大きなボールのなかで多量の「チクレット」ガムがいまか、いまかと待ちかまえてはいたが。

七時三〇分にわたしたちは夕飯を食べた。とてもおいしかった。やがて食事もすんだが、「なんぞおくれ」の子供たちはまだこない。もう八時を過ぎていて、どうも情況は思わしくなくなってきた。わたしは落着きを失った。

わたしはその日がハロウィーン以外のありきたりな日ではないかと思いはじめた。

彼女はもちろんその場の情況を仏教的な清らかさを漂わせてうっとりと眺め、「なんぞおくれ」の子供たちが来なかったという事実をうっかり口にするようなことはなかった。

だからといって、それで情況が好転したわけでもない。

九時に、わたしたちはあちらの部屋へ行って彼女の寝台に横になって、あれこれ話をしていたのだが、わたしは「なんぞおくれ」の子供たちのすべてに見棄《みす》てられたことにむかっ腹を立てていたので、「ろくでなしのガキどもはどこへ行ったんだ?」というようなことをいった。

チクレットの入ったボールはすでに寝室に移してあったから、玄関の呼鈴が鳴ったらすばやく「なんぞおくれ」の子供たちを迎えることができるはずだった。ボールは寝台のわきのテーブルに落胆した様子で坐《すわ》っていた。ひどくわびしい風景だった。

九時三〇分、わたしたちは性交をはじめた。

およそ五四秒後、子供の一団がハロウィーンにつきものの金切り声の竜巻を伴って階段を駆けのぼり、続いて狂ったかのような呼鈴の音が聞えた。

わたしが彼女を見下す、彼女がわたしを見上げる、そしてわたしたちの視線が笑いのなかで出会う、でも、にわかに、わたしたちは落着きを失い、どうすればいいのかわからなかったから笑い声は高らかではなかった。

わたしたちはデンヴァーにいた。街角で手をつないで、信号が変るのを待っていたのだ。

アトランティスバーグ

奥には玉突き台が二台あって、テーブルのそばには酔っぱらいたちが群がっていた。わたしはひとりの若者と話をしていた。彼は仕事をクビになったばかりでそれを悦《よろこ》んでいたが、その夜は退屈していて次の週には仕事でも探そうかと考えていた。彼は家庭の情況についてもかなり悩んでいて、そのことを長々と喋《しゃべ》っていた。

わたしたちは、ピンボール・マシーンに凭《もた》れてしばらく話をした。奥では玉突きのゲームが進行中だった。髪をブルカットにした小柄な黒人のレズビアンが労働者のように見える年寄りのイタリア人と玉突きをやっていた。野菜などをあつかう労働に従事しているのかもしれない、いや、べつのことをしているのかもしれなかった、レズビアンのほうは船乗りだ。ふたりはゲームにすっかり気を奪われていた。

テーブルにいた酔っぱらいのひとりが酒をテーブル一面に、そしてじぶんのからだにもこぼした。

「台ぶきんをもらってきな」ともうひとりの酔っぱらいがいった。

こぼした男はよろよろと立ち上り、カウンターのところへ行って、バーテンにふきんをくれといった。バーテンはカウンター越しに身を乗りだして、われわれには聞こえなかったがなにかいった。酔っぱらいは戻ってきて腰を下した。台ぶきんは持っていなかった。

「台ぶきんはどうした?」ともうひとりの酔っぱらいがいった。

「俺には四五ドル六〇セントの借りがあるっていうんだ。俺のツケが……」

「そうかい。俺には四五ドル六〇セントの借りはない。俺が台ぶきんを取ってくる。テーブルが汚ねえ」と立ち上り、バーテンに四五ドル六〇セントの借りがないことを証明したのである。

テーブルは元通りになった。ふたりはわたしも知っていることについて話しはじめた。

そうこうするうち、わたしの友人がいった、「なんて退屈な夜なんだ。あのレズが玉突きをやるのでも見てくるぜ」

「ぼくはここで、しばらくあの酔っぱらいたちの話を聞いてるよ」とわたしはいった。

彼はそこへ行って、黒人のレズビアンが年寄りのイタリア人と玉突きをやっているのを眺めた。わたしはそこでピンボール・マシーンに背を凭れて失われた町々のことを話している酔っぱらいたちの話に耳をかたむけていた。

犬の塔からの眺め

「……三頭のジャーマン・シェパードの仔犬《こいぬ》が郡境近くの家からいなくなった」
サンタ・クルツ郡北部
「ノース・カウンティ・ジャーナル」より

二月《ふたつき》ほど前に「ノース・カウンティ・ジャーナル」で読んだこの小さな記事のことを、わたしはずっと考えている。この記事には小さな悲劇の要素が含まれていた。わたしたちは多くの世界的恐怖にとりかこまれている（ヴェトナム、飢餓、暴動、絶望的な恐怖のうちに生きること、等々）のだから、三頭の仔犬がどこかへ行ってしまったのはたいした事件ではない、ということはわたしにもわかってはいるのだが、でも心配で、このつまらないできごとはもっと重大な苦悩を見るための望遠鏡の役をはたすと考える。

「……三頭のジャーマン・シェパードの仔犬が郡境近くの家からいなくなった」ボブ・ディランの歌のひとふしみたいだ。

きっと、犬たちはじゃれあい、吠《ほ》え立て、追っかけあいしているうちに森に迷いこんでいなくなって、それ以来ずっとそこで迷っているのだろう。犬のかすみたいにみじめにおびえて、なにか少しでも食べるものはないかと探しまわっているのだろうが、なにしろ、犬の脳味噌《のうみそ》は胃袋にハンダ付けされているからいったいじぶんたちになにが起ったか知性をもって理解することはできない。

怖《おそ》れと飢えに啼《な》き声を上げるときだけ、彼らは声を使う。戯《たわむ》れの日々は終りを告げた、のんきな幸せの日々が恐怖の森林へと彼らを導いたのである。

哀れな迷い子の犬たちはわたしたちの未来の旅を映す影ではないかしら、用心しなければ、とわたしはふと不安になるのだ。

グレイハウンド・バスの悲劇

すすり泣く人々の長い列、死骸《しがい》は偉大な肖像画よりもさらに美しい、そんな若いスターの死にあらわされるような映画雑誌的悲劇の生涯を送りたいと、彼女は望んでいた。でも、ハリウッドへ出て死ぬために、じぶんが生まれ育ったオレゴンの小さな町を立ち去ることはついにできなかったのである。

時は経済恐慌《きょうこう》の時代ではあったが、父親がそこの「ペニー」の店の支配人で家族に対して経済的には思いやりがあったので彼女の生活に不自由はなかった。

映画が彼女の宗教で、ポップコーンの袋をたずさえて、礼拝にはかかすことなく出席した。映画雑誌が聖書、彼女は神学博士のごとき熱狂でそれを学んだ。おそらく、彼女は映画については法皇よりもよく知っていた。

雑誌の定期購読と同じように、歳月は過ぎた。一九三一年、一九三二年、一九三三年、一九三四年、一九三五年、一九三六年、一九三七年、そして、一九三八年の九月二日がやってきた。

ほんとうにハリウッドへ行く気なら、実行にうつすべきときが到来した。彼女と結婚したいという青年がいた。彼女のふた親は青年の将来の展望はすばらしいと考えていた。フォード車のセールスマンだったから、青年を認めたのだ。「すばらしい伝統のある会社だ」父親はいった。彼女には情況はよくないと思えた。

ハリウッドへのバス料金を調べるためにバスの停車場へ行く勇気をふるいおこすのに、何か月もかかった。ときには、バス停のことを一日中考えていたこともある。ときには、眩暈《めまい》までしたから腰かけなければならなかった。電話してみればいい、とはついぞ思いつかず。

落ち着かずに過ごしたその数か月の間、彼女はバス停のそばは通らないことにしていた。いつもいつもそのことを考えていることと、実際にその目でそれを見ることはまったく別だった。

あるとき、彼女は母親の運転する車でダウンタウンを走っていたが、母親がバス停のある通りへの角を曲がると、お母さん、悪いけどここじゃなくあっちの角を曲がって、その通りにある店で買いたい物があるから、お願いよ、といった。

靴を買うから、と。

母親は疑念をいだくこともなく、その角を曲った。なぜ娘が顔を赤らめているのか訊《たず》ねることも思いつかなかった。とはいえ、娘になにか聞いてみようと思ったことはめったになかったのだから、そのときもべつに珍しいことではなかったのだ。

ある朝、郵便で配達される大量の映画雑誌について娘に話そうと思った。郵便受にぎっしりと雑誌が押しこまれているので、スクリュー・ドライバーを使って郵便をとりだすこともあった。しかし、母親は昼になるころにはもうそのことは忘れてしまった。母親の記憶はついぞ一二時まで維持されたことはないのだ。記憶は一一時三〇分ごろにはすでに疲れきっている、でも、簡単なものなら彼女は料理はうまかった。クラーク・ゲーブルの映画を観《み》ながら食べているポップコーンさながら、時間がどんどん減ってきた。父親は最近、彼女が高校を出てからもう三年になること、じぶんの人生のことをどうするか考えてみるべきときではないだろうかなどと、しじゅう仄《ほの》めかした。

彼はいたずらにその町の「ペニー」の店のマネジャーをしているわけではなかった。その頃、いやじつは一年ほど前から、目を皿のようにしていつもじいっと家のなかで映画雑誌を読んでいる娘の姿を見ることにうんざりしていた。娘はなまけ者だ、と思いはじめた。

父親の仄めかしとフォード車の若いセールスマンの四度目のプロポーズは同時におこった。それまでの三度の申込みは考える時間が必要だと答え断ったが、それはバス停まで行って、ハリウッドまでのバス賃がいくらかたずねる勇気を奮い起そうとしていたことを意味した。

ついに、彼女じしんの激しい望みと父親の仄めかしの重さにまけて、彼女はある暖かな夕方、夕食の皿洗いを逃げて、バス停までのろのろと歩いて行った。一九三八年三月十日から一九三八年九月二日の夕暮れまで、彼女はハリウッドまでのバス賃はいくらだろうかと考え続けていたわけだった。

バス停は荒涼として、ロマンチックではない、銀幕からはとても遠かった。ベンチに腰かけて、老人が二人バスを待っていた。老人たちは疲れていた。どこへ行くつもりだったのかそれはわからないが、とにかく、もう目的地にいたかったのだ。ふたりのスーツケースは切れた電球のようだった。

切符売り場の男は、なんだって売れるように見えた。どこかへ行く切符として洗濯機だとか芝刈機の付属品を売っていたっておかしくはなかった。

彼女は赤い顔をして、不安だった。バスの停車場で、彼女の心は場違いだと感じた。

次のバスでやってくる誰かを待っているところだ、叔母を待っているのだ、という振りをしながら、ハリウッドまではいくらかと訊ねる勇気を奮い起そうとまさに絶望的な努力をしていたが、彼女がなんの振りをしようと、どこの誰にとってもじつにどうでもいいことだった。地震でふるえている砂糖大根《ビート》の振りをすることだってできただろうが、でも、誰も彼女を見なかった。彼らにはまったくどうでもいいことだった。それは九月のおろかしい夜で、彼女にはハリウッドまでのバス賃はいくらかと訊ねるだけの勇気がわかないのだった。

　暖かくやさしいオレゴンの夜、彼女は泣きとおしで家へ帰った。地面に足をつけるたびに、死んでしまいたい、と思った。風はなくて、影はどれも慰めを与えてくれる。彼女にとって影たちはいとこたちのようなものだった。そこで彼女は若いフォードのセールスマンと結婚して、第二次大戦のときをのぞいて、毎年新しい車を運転した。

　彼女は子供をふたりうんで、それぞれジーンとルドルフと名付け、それによって美しき映画スターとして死ぬことは忘れようとはした。ところがどうだ、三一年後のいまでさえ、バス停の前を通るたびに、彼女は顔を赤らめる。

気のふれた老婆《ろうば》たちが、今日のアメリカのバスに乗っている

マーシャ・パコーに

たったいまだって、そのひとりがわたしのうしろに腰かけている。プラスチックの果物の飾りがついた古い帽子を被《かぶ》って、両眼が果物にたかる蠅《はえ》のように右へ左へじろりじろりとすばやく動く。

その彼女の隣に坐《すわ》っている男は死んだふりをしている。

この気のふれた老婆は途切れ目のない音声の一息で男にむかって喋《しゃべ》り続けるが、それは土曜の夜の荒れ狂うボウリング場のまぼろしを見るのに似て、彼女の歯から幾百万本というピンがはじけてとぶ。

彼女の隣りに坐っている男は年寄りの、とても小柄な中国人で、少年用の服を着ている。コートもズボンも靴も帽子《キャップ》も、一五歳の少年用だ。わたしは少年用の服を着ている老人の中国人をずいぶん見てきた。店へ行って服を買うときは、きっと不思議に

見えるだろうな。

中国人は窓にぎゅっとからだを押しつけている、息をしているのかどうかもわからない。彼女は彼が死んでいようと生きていようとどちらでもかまわない。

彼女が彼の隣りに腰を下し話し始めるまでは、彼はたしかに生きていた。ろくでなしの子供たちのことや、アル中の主人のことや、いつだって酔ってるから全然修繕してくれないいまいましい車の屋根の雨漏り、あのどてかぼちゃが、それに、彼女はカフェで一日じゅう働いてるんだから、もう疲れちまってなにもできやしない、あたしはきっと世界中で一番年寄りのウェイトレスだよ、あたしの足がもういうことを聞かないんだよ、息子たちは刑務所で、娘はアル中のトラック運転手と同棲《どうせい》して、家では三人のテテナシ子が駆けずりまわってるしね、テレビが欲しいよ、だって、もうラジオは聴けないんだから。

もう全然番組がなくなったといって、彼女は十年前にラジオを聴くのを止《や》めてしまった。あるのは音楽とニュースばかりでさ、あたしは音楽は嫌いだよ、ニュースはわかんないし、それにこのオタンコナス中国人が死んでいようが生きていようが興味はない。

二三年前に彼女はサクラメントで中華料理を食べ、そのあと五日間は下痢がとまらなかった。いま彼女の目に映っているのは、彼女の口の方に向いている片ほうの耳だけだ。

耳は小さな黄色い死んだ角のよう。

正しい時刻

ひとつシャボン玉を吹いてみようか、そしてまたひとつ、ふたつ。そのシャボン玉たちがひどく重要だとか、なにかを変える、というわけではないけれど。もっとも三〇番ストックトン・バスに衝突されたやつは違う。あれはまったく違う。

恋人が遅れたので、わたしは独りで公園へ行った。待っているのに飽きたし、裕福な環境でたえず性交ばかりしている人々のことを書いた小説を本屋で立ち読みするのにも飽きてしまったから。彼女はきれいだったけど、わたしもだんだん歳《とし》で疲れていた。

それはサン・フランシスコでは秋にならなければこないような典型的な夏の午後だった。公園はいつものとおり——子供たちは「若いころはこんなだった」というゲームをしている、老人たちはやがて墓が黒くしてしまうだろうそのからだを陽に当てている、ビートニックたちは偉大にしてヒップな絨緞《じゅうたん》商人がやってくるのを待って、あちこちの芝生の上で黴《かび》臭い敷物のようにごろごろしている。

わたしは坐《すわ》る前にまず公園をぐるりと歩いた——長い緩慢な弧線がやさしくその終末へ引き寄せられるみたいに。それからわたしは坐ったわけだが、わたしがいたその領域を検分する前に、ひとりの老人が何時かとわたしに訊《たず》ねた。

「三時一五分前ですよ」とわたしは答えたが、何時なのかわたしは知らなかった。ただ親切をしたかったのだ。

「ありがとう」と彼はいって、ほっとしたように古風な笑みをちらりと見せた。

三時一五分前がその老人にとっては正しい時刻だった、そういう時刻であってほしかったのだし、そういう時刻が彼をもっとも悦《よろこ》ばせたのだ。わたしは楽しくなった。

そこにほんのしばらく坐っていたが、他には記憶にとどむべきことも、また忘れるべきことも見はしなかった。わたしは立ち上り、しあわせな老人をあとに残して立ち去った。

アメリカのボーイ・スカウトはわたしにすべてを教えてくれた、そして、わたしはもうその日の分の善行をしたのだから、完全な人間になるためにわたしがすべきことといったら、もはや、道の反対側にからだの弱った消防自動車を見つけ、それの手助けすることだけだった。

「ありがとうよ、お若いの」老年の匂《にお》いのする関節炎病みの赤ペンキ、白髪で覆《おお》われた梯子《はしご》、そしてサイレンは軽いそこひを患《わずら》っている。

公園を立ち去ろうとしたその場所に、シャボン玉で遊んでいる子供たちがいた。魔法のシャボン玉材料とシャボン玉を吹きだすための金属の輪がついた小さな棒を持っていた。

じぶんで公園を立ち去るかわりに、わたしはそこに立ってシャボン玉が公園を去るのを見ていた。シャボン玉たちはとても死亡率の高い脈搏《みゃくはく》を打つ。いくどもいくども、わたしは彼らが歩道の上、そして車道で不意に死んでしまうのを見てしまった。——虹《にじ》の横顔が消えてしまう。

どうしたのかと思って近寄ってみると、シャボン玉たちは空中の虫たちと衝突していることがわかった。なんてすてきな光景じゃないか！　と思う間もなく、シャボン玉のひとつに三〇番ストックトン・バスが衝突した。

どっすん！　霊感をうけたトランペットと壮麗なコンチェルトとの衝突みたいで、そいつはほかのシャボン玉たちに大往生とはいかなるものであるかを示してやったのである。

ドイツの休日

まず、はっきりさせておこう。わたしには休暇について語れるような資格はないと。ただもうわたしにはそんな金はないのである。わたしは貧乏だと、そういっても差しつかえない。かまわないんだ、ほんとうのことだから。

わたしは三〇歳、この一〇年間、年収は平均一四〇〇ドル。アメリカはたいへん富める国であるから、わたしはときどきじぶんは反米的だと感じる。つまり、じぶんの国籍を正当たらしめるために十分な稼ぎをしてないから、アメリカを辱《はずかし》めている、そんな気持になるのだ。

いずれにしても、年収一四〇〇ドルで休暇旅行をするというのは難しいので、昨日、わたしはサン・フランシスコからのある種の亡命としてモントレーで二週間ほどすごそうとグレイハウンド・バスに乗った。

どういう理由からそうしたのか、それは話すまい。実をいえばこの章はわたしとはあまり関係がないことなので、冗談ばかりいっていてはこの話はつまらなくなってしまう。わたしはただバスに乗っていただけだ。

話というのは、そのバスに乗っていたふたりのドイツ人の青年のことなのだ。ふたりは二〇歳そこそこ、わたしの前の座席に腰かけていた。アメリカで三週間の休暇をすごしているところだ。休暇もほとんど終りかけていた、かわいそうに。

ふたりはドイツ語でべらべら喋《しゃべ》り、モントレーへ向けて走るバスのなか、あれこれを指さしてはまさしく旅行者らしく振舞っていた。

窓際《まどぎわ》に坐《すわ》っていたほうのドイツ人青年はアメリカの自動車の中味に格別の興味を抱いていた。とりわけ、女性という中味に。きれいな娘が運転しているのを見ると、かならず彼は友達にその娘を指さして見せた。アメリカ旅行の旅程の一部だった。

彼らは健全にして正常なセックス狂。

窓際のドイツ人青年のそばにフォルクスワーゲン・セダンが近づくと、ただちに彼はフォルクスワーゲンに乗っているふたりのきれいな娘たちを指して友達の注意を惹《ひ》いた。ドイツ青年たちは窓にぴったりと顔を押しつけていた。

助手席にいた娘は、わたしたちの真下にいたわけだが、短い金髪で、やさしげな白い首をしていた。フォルクスワーゲンとバスは同じ速度で走っていた。

ドイツ青年たちがじいっと眺め下しているうちに、娘はなんとなく落着きを失い、てれるような様子になった。彼女にはわたしたちは見えないのだから、なぜそんな風になるのかわからない。彼女は髪の毛をいじっていた。情況はわからないのに、恥ずかしくなり、てれたりすると、女たちはよくそうする。

フォルクスワーゲンが走っていた車線の前方で、交通が速度を減じ、わたしたちのバスは唸《うな》り声を上げてその車を追い越した。一分間ぐらい、わたしたちは離ればなれになっていたが、またフォルクスワーゲンがわたしたちに追いついた。

ドイツ青年たちもそれとすぐ気づいて、相変らずの「駄菓子屋窓の覗《のぞ》き見」を始めるべく窓に顔をおしつけた。

すると、娘もこちらを見上げ、ドイツ青年たちが気を惹こうと笑いかけ、手を振りながら、じいっと見下しているのを見た。娘はあいまいな半微笑のようなものを浮かべて反応した。高速道路の完璧《かんぺき》なモナ・リザ。

また交通の流れがおそくなって、フォルクスワーゲンはそのせいで遅れをとったが、二分もすると、またわたしたちに追いついた。双方ともに時速約六〇マイルで走っていた。

ブロンドの、やさしい白い首の彼女はこちらを見上げて、ドイツ青年たちがさかんに気を惹こうと手を振っているのに応《こた》えて、彼女もにっこり大きく笑い熱心に手を振った。ふたりは彼女の冷静さを打破したのだ。

ドイツ青年たちはたいそうなよろこびを示し、笑い、まるで旗が大会を開いてるみたいにさかんに手を振った。ふたりはとてもしあわせだった。ああ、アメリカ！　娘の笑い顔はとてもすばらしかった。彼女の友達もフォルクスワーゲンを片手で運転しながら手を振った。そちらもきれいな娘。やはりブロンドだが、髪は長い。

ドイツ青年たちはアメリカのすばらしい休暇を楽しんでいるのだった。バスを降りてフォルクスワーゲンに乗り込み、娘たちと知り合いになることができないのはしごく残念だった。だが、そういうようなことはできない相談だ。

間もなく、娘たちはパロ・アルトへの斜道へそれて、永遠に姿を消した。もっとも、彼女たちが来年はドイツで休暇をとり、バスで自動車幹線道路《アウトバーン》を走るなら、話は当然のことながらべつである。

砂の城

カリフォルニア海岸にお化けの指紋のような恰好《かっこう》でくっついているレイエス岬には、奇怪な柵《さく》がはりめぐらされている。異様な光景がたえず視界に現れては消える、あるいは、このあたりの光景は過度になれなれしいような印象をあたえる。白い中世的なポルトガル風の酪農場がやにわにしだれ糸杉に抱かれているような姿であらわれたかと思うと、そこにそのようなものなどかつて一度も存在したことがなかったかのごとく消えてしまう。

鉄道員の古い懐中時計さながら、鷹《たか》が空で旋回している。下方のどこかでぶらぶらしている適正な蛋白源《たんぱく》、急降下して飛びかかり貪《むさぼ》り食うべき蛋白源を求めて。

わたしはしじゅうレイエス岬へ行くわけではない。なぜといって、正直にいって、わたしの心がそこにあることはめったにないからだが、でも、行けば行ったで、いつも楽しい思いをする。ただし、それは墓地のようでもあり、かつなかば朦朧《もうろう》とし、なかば水銀のごとき霊的濃度の中で迷路にはまったような柵がはりめぐらされた道を車で行くのを「楽しい」といってよければのことだけれど。

わたしはおおかた岬の先端のマクルアズ・ビーチと呼ばれる場所まで行く。駐車場があって、そこに車をおいて、なだらかに下る峡谷を小さなクリーク沿いに浜まで、かなりの道のりを徒歩で行く。

クリークには贅沢《ぜいたく》にもおらんだがらし《ウォータークレス》が生えている。径には見なれない奇妙な花が咲きみだれている。わたしは一歩一歩、峡谷のいくつもの曲り角で姿を消して行くのだが、そこを過ぎると、ついには太平洋と、そのドラマチックな浜に到着する。もしイエスが生きていた時代にカメラがあったら、かくばかりの写真がとれただろうと思われるような海岸で、そこに着いたときみはいまやその写真の光景の一部になる。だから、実際にそこにいるのかどうかを確かめるためにわれとわが身を抓《つね》ってみなければならないこともある。

ずいぶん前のことになるが、ある午後のこと、友人とレイエス岬へ向った。わたしの心がまさしくそのような場所にいたからだが、岬の突端に向かって車を走らせながら、わたしはじいっと柵を見ていた。岬はいうまでもなく、鷹たちがたえまなく旋回する下で抽象性と親密さの層のごとく広がっている。

わたしたちはマクルアズ・ビーチに車を停めた。車が駐車されるその音を、わたしはとても生々しく憶《おぼ》えている。ひどく騒々しかった。そこにはほかにも車が停めてあった。わたしたちが車を駐車したあとも、すっかり静かになったのに、車の音はいっこうに鳴りやまなかった。

峡谷をゆっくり下って行くと、暖かな霧があたりに渦巻いた。わたしたちの眼前百フィートのところでは、なにもかも霧のなかにかくれていた。わたしたちのうしろから百フィート離れている場所でさえすっかり、なにもかも霧にかくれてしまった。わたしたちはふたつの記憶喪失にはさまれたカプセルのなかを歩いていたのだ。

黙した花々が、わたしたちをとりかこむように咲いていた。一四世紀フランスの無名画家によって描かれた花かとさえ思った。友達とわたしは長いことたがいに話しかけなかった。わたしたちの舌が、おそらく、その絵画《えか》きの筆の仲間になったのだろう。

わたしはクリークのおらんだがらしをじっと見つめた。金持ちそうだった。しょっちゅう見るわけではないが、おらんだがらしを見ると、いつも金持ちたちのことが頭にうかぶ。おらんだがらしを食べる余裕があるのは金持ちだけで、連中はそれを使って、貧乏人が見ないように金庫にしまってある風変りなレシピを使っておらんだがらし料理を作るのだ。

峡谷の角をひとつ曲がると、不意に、水着をつけた五人のハンサムな十代の少年たちが五人の美しい十代の少女たちを砂に埋めているところへでくわした。彼らはみな、典型的にカリフォルニア的な肉体の大理石の彫像だった。

少女たちがどの程度まで埋められていたか、それぞれ異なっていた。ひとりなど、顔が砂の上に出ているだけで、完全に埋められてしまっていた。とても美しくて、砂の上に長い黒髪が広がっていて、それは彼女の頭から流れでる暗色の水、おそらくは翡翠《ひすい》の水、まるでそんなふうに見えるのだった。

砂に埋められて少女たちはとてもうれしそうで、彼女たちを砂に埋めている少年たちもうれしそう。すでに、すべてを経験してしまい、することもなくなった彼らのティーンエイジ墓場パーティだった。タオルやビールの罐《かん》やバスケットや弁当の食べ残しなどが、彼らを包囲していた。

そのそばを通りすぎてわたしたちが太平洋に下りて行くときも、とくに気にするふうもなかった。太平洋の浜までくると、わたしは、いまもなおじぶんがそのキリストの力による写真のなかにいることを確かめるために、われとわが身を抓ってみた。

許してあげよう

この物語は「エルマイラ」という物語の親しい友人、いや、あるいは恋人かもしれない。ふたつともロング・トム・リヴァーと、わたしがまだ若かったころ、十代でロング・トム・リヴァーがわたしの精神のDNAの一部だったころの物語だ。

わたしはあの川をほんとうに必要としていた。あれはいまだに解決されていないひどくこみいったわたしの人生の質疑のいくつかに対する最初の答だった。

リチャード・ブローティガンが鱒《ます》釣りとそれをとりまく環境の万華鏡《まんげきよう》を『アメリカの鱒釣り』という小説であますところなく書いたことを承知のうえで、わたしも同じテーマで書こうとするのはやや気がひける。しかし、この物語はどうしても書いておかないわけにはゆかない。わたしは書くことにきめた。

わたしはずっと山奥のロング・トム・リヴァーへ魚を釣りに行った。川のところどころはベストセラーの本をのせたコーヒーテーブルぐらいの幅しかなかった。

そこの鱒たちは六インチから一〇インチぐらいの小柄なカットスロートで、釣るのはとても楽しかった。わたしはロング・トムでの釣りにとても上達して、ちょっと運さえよければ一時間ちょっとで制限量の一〇匹を釣ることができた。

ロング・トム・リヴァーは四〇マイル離れていた。たいてい午後おそくにヒッチハイクで行って、薄暮れにまた四〇マイルの道をヒッチハイクで帰った。

雨のなかをそこまでヒッチハイクで行って、雨のなかで釣り、そしてまた雨のなかをヒッチハイクで帰ってきたことも二、三度あった。八〇マイルの濡《ぬ》れたひとめぐり。

わたしはロング・トムに架かる橋から半マイル川下へ向って、もうひとつの橋まで移動しながら釣った。それは天使を思わせる木の橋だった。川は濁っていた。橋と橋の間、ものうげに水をしたたらす景色の中で、下流へ向う釣りはおだやかだった。

白い木の天使のように見えたその第二の橋よりさらに下流に行くと、ロング・トム・リヴァーはとても異様な流れになった。暗くて気味悪い。どういうふうかというと——だいたい百ヤードごとに大きな沼のようなむきだしの瀞《とろ》がある、その瀞から流れでた水は編み物のトンネルのような蔭《かげ》深い木立ちにすっぽりと覆《おお》われた急流の浅瀬に流れこみ、それがまたつぎの沼のような瀞にまで続くのだった。わたしはロング・トム・リヴァーがわたしをそこまで招きよせることをめったに許さなかった。

けれども、ある八月の午後おそくのこと、天使橋まで移動しながら釣っていたが、どうもあまり調子はよくなかった。四、五匹の鱒を釣っただけだった。

雨が降っていて、山のなかのそこはたいへん暖かった。日没の時間が迫っていた、いや、もしかしたらすでに暮れていたのかもしれない。雨のせいで、正確な時間はわからなかった。

ともかくも。わたしは子供のおろかしさで、その橋よりも下流、あの編み物のような川トンネルと大きな沼のようなむきだしの瀞で釣ってみようと思いついたのだ。

そこへ行くにはもうほんとうに晩《おそ》すぎたから、わたしは踵《きびす》をかえしそこを立ち去り、雨のなかの四〇マイルをヒッチハイクで家へ帰るべきだったのだ。

いや、いや、やぶをつつくべきではなかったのだ。

しかしながら、いや、行ってみるときめて、わたしはそっちへ移って行った。トンネルのなかは熱帯で、トンネルが大きな沼のような瀞へ流れこんでいるところで鱒を釣った。それから先は瀞のまわりをまわって暖かな深い泥を踏み渡らなければならなかった。

一三インチほどの鱒を逃がしてしまってすっかり気が昂《たか》ぶったわたしは、さらにどんどん下流へ向って釣り続け、木の天使橋から数えて六つめの瀞まで来てしまうと、にわかに、それこそあっという間に、光が消えて完全な夜になってしまった。そのときのわたしは沼のような暗闇《くらやみ》の第六の瀞を半分行っていた。わたしの行く手には闇と水だけ、そしてわたしの来《こ》しかたにも闇と水だけ。

なんとも奇怪にしていまいましい恐怖がわたしを貫いて震える。地震にめちゃくちゃに揺れるアドレナリン水晶のシャンデリアはかくばかりかとも思われ、わたしは向きをかえて川を上流へ逃げた。大きな沼のような瀞のまわりは鰐《わに》のようにはねを上げつつ、浅瀬のトンネルは犬のごとく駆けて。

この世のありとあらゆる恐怖がわたしの背に、脇腹《わきばら》に、目の前に襲いかかる、恐怖らは名もなく形もなく、ただ知覚そのものだった。

やっと最後のトンネルを駆けぬけると、夜を背にして立っている橋のおぼろな白い輪郭が見えて、救済と聖域を目撃したわたしの魂はふたたび蘇《よみがえ》ったのである。

どんどん近づくにつれて、橋はわたしの視界で白き木製の天使さながら輝いて、わたしはやがて橋の上に坐《すわ》った。息をついでいると、びしょぬれなのに、山の夕暮れのたえまない雨にもまったく寒さを感じなかった。

この物語をわたしが書いたこと、リチャード・ブローティガンは許してくれると思う。

星条旗うつし絵

この物語は小型トラックの後窓につけられたアメリカの国旗のうつし絵のことからはじまるのだが、トラックはずっと遠くのほうだからほとんどうつし絵は見えないし、それが高速道路をそれて脇道《わきみち》に入ってしまえばもう全然見えなくなってしまうわけだが、でも、なぜか、またもやわたしたちはこんなふうに話しはじめてしまう。

東部で、ニューヨークとかそういうところで、ひどく惨《みじ》めな一月《ひとつき》を過した後カリフォルニアにもどってくると、ほっとする。呑《の》みすぎの冷たい秋雨の日々、わたしの惨めな気持を映す鏡を呼吸していた情事の日々が、これでもかこれでもかと続いた。

さて、いまはこうして、友達とカリフォルニアの田舎を車で走っているわけで、しなければならないことといったら、この友達の家の汚水槽が壊れたのを修理してくれる男を探すことだけだ。ひどいありさまなのだ。たったいま、汚水溜《おすいだめ》のことを知りつくし、それをとり扱うことによって生計を立てているひとが必要だ。特定の汚水溜男を求めて、わたしたちはあの道この道を走る。その男が住んでいるぞ、と思われるところで車を止めてみたが、それはひどい見当ちがいだった。そこは蜂蜜《はちみつ》を売るところだった。

そのような見当ちがいがいかにして起ったか、わたしたちにはわからない。汚水溜男と網戸の向うで蜂蜜を売る女たちでは、あまりにも違うではないか。

わたしたちはそれがおかしいと思う、彼女たちもやはりそう思う。わたしたちがじぶんたちのことを笑うと、彼女たちもわたしたちのことを笑う。おかしなふたりだ。そこをあとにしてから、乾物屋の経営者になったり、医者になったり、汚水溜のことを知りつくすようになったり、蜂蜜を売ろうときめたのに汚水槽屋だとまちがえられたりする、そういうことになるまでに人間がたどる人生の裏街道表街道についてわたしたちは語り合った。

ほんのしばらくして、ユーモラスな、精神的な距離をおいて、存分に汚水溜をいじくるための設備にとりかこまれて気持よさそうにしている汚水槽屋をわたしたちは見つけた。

三人の男が故障したトラックを修理していた。仕事の手を休めてわたしたちを見る。

田舎的ななにげなさ、きわめて真剣な男たちだった。

「だめだ、きょうはだめだ。このトラックを修理しなきゃ、俺たち熊《くま》狩りに行けねえからよ」

というわけで、ごらんの通り。彼らはトラックを修理したい、熊狩りに行くために。三人にとってわたしたちの汚水溜は子供のように透明なのだ。熊のほうがずっと重要なのだ。カリフォルニアに戻ってきてよかったなあ。

第一次世界大戦ロサンジェルス航空機

彼はロサンジェルスにある一軒の小さな借家で、居間の床の上、テレビジョンのすぐかたわらで死んで倒れているところを発見された。わたしの妻はアイスクリームを買いにでかけていた。宵の口にちょいと行く類《たぐい》のすぐ横丁の店だ。わたしたちはアイスクリームを食べたい気分になっていた。電話が鳴る。妻の弟からで、父親がその日の午後に死んだという報《しら》せだった。七〇歳だった。わたしはアイスクリームを手にした妻が戻ってくるのを待った。できるだけ悲しませずに、父親が死んだと告げるのに最上の方法はどういうものかとわたしはあれこれ考えた。けれども、ことばで死を偽装することはできない。いつだって、ことばの終りで、誰かが死ぬ。

店から戻ってきた彼女はとても楽しそうだった。

「なにかあったの?」と彼女はいった。

「ロサンジェルスのきみの弟からたったいま電話があった」とわたしはいった。

「なにがあったの？」と彼女はいった。

「きみのお父さん、きょうの午後に亡《な》くなった」

あれは一九六〇年のこと、そしていま、あと二、三週間で一九七〇年になる。彼が死んでもうかれこれ一〇年になる。わたしは彼の死がわたしたち皆にとってどういう意味を持つのか、それについてずいぶん考えてきた。

1 彼はドイツ系の両親から生まれ、南ダコタの農場で大きくなった。彼の祖父は徹底的な暴君で、成人した三人の息子たちを子供のときとまったく同様に扱った。彼によれば息子たちは全然成長したとは見えず、息子たちじしんもじぶんたちは全然成長していないと考えていた。祖父はその点をはっきりさせておいた。息子たちは一度も農場を去ることはなかった。もちろん結婚はしたが、嫁たちを妊《はら》ませる以外のことがらについては、祖父が家のなかのことをいっさい切りまわした。彼は息子たちがその子供らを躾《しつ》けることを決して許さなかった。彼らのかわりに、彼がそれをやった。わたしの妻の父親じしんは、じぶんの父親はたえず祖父の無慈悲な怒りを逃れようとしているもうひとりの兄というふうに考えていた。

2 彼はかしこかった、だから、一八歳のとき学校の教師になって農場を去ったが、それは祖父に対する革命的反逆行為であったから、祖父はそれ以後彼を死んだ者として扱った。彼は馬小屋の裏に身をかくすじぶんの父親のようにはなりたくなかったのだ。中西部で三年間ほど教鞭《きょうべん》をとって、それから、自動車販売の開拓時代に、自動車のセールスマンをやった。

3　若くして結婚し、間もなく感情のしこりを残して離婚したが、その結婚のことはその後、一家のクロゼットにかくされた骸骨《がいこつ》のようなものになった。彼はそのことを秘密にしておきたかった。きっと、彼は最初の妻をとても愛していたのだろう。

4　第一次世界大戦勃発《ぼっぱつ》の直前、とてもひどい自動車事故が起きて、彼だけを除いて全員が死亡した。それは死んだ者たちの家族や友人の心に史跡のごとき、深い精神の疵痕《きずあと》を残す事故だった。

5　一九一七年、アメリカが第一次世界大戦に参戦すると、彼はもう二〇代も終りになっていたが、パイロットになりたいと考えた。もう歳《とし》をくいすぎているから駄目だと断わられたが、彼は飛行機に乗りたいという願いにたいへんなエネルギーをこめたおかげで、パイロットの訓練を受けることを許されてフロリダへ行き、パイロットになった。

一九一八年フランスへ行った彼はデ・ハヴィランド機を操縦して、フランスの鉄道駅を爆撃したが、ある日のことドイツの戦線の上を飛んでいると、彼のまわりに小さな雲があちこち現われはじめた。彼は雲が美しいなと思い、それが彼を撃ち墜《おと》そうと狙《ねら》っているドイツの高射砲だと気づくまで長いこと飛び続けた。

またあるときは、フランス上空を飛んでいると、彼の飛行機の尾翼の向うに虹《にじ》があらわれ、飛行機が方向転換するたびに虹も方向転換して、一九一八年のある午後、フランス上空を飛ぶ彼のあとを追っていた。

6 戦争が終ったとき、彼は大尉《たいい》として除隊になったが、汽車で旅行していて、隣に坐《すわ》った中年の男と三百マイルほどの間ことばを交したが、その男はこういった「きみのようにわしも若くてちょっとした金があったらねえ、アイダホへ行って銀行をやるんだけどよ。アイダホの銀行にはすばらしい将来性があるよ」

7 妻の父はそのことばにしたがった。

8 彼はアイダホへ赴き、銀行を開いたが、間もなくそれは三行に増え、大きな家畜農場も手に入れた。時すでに一九二六年、なにもかもうまく運んでいた。

9 彼より一六歳も若い学校の教師と結婚して、ハネムーンにはフィラデルフィアへ汽車旅行して、そこに一週間滞在した。

10 一九二九年、株式暴落が起ると、彼はひどい被害を受け、三つの銀行と、その間に経営していた食料品店を人手に渡さなければならなかった。でも、担保に入っていたとはいえ、農場はまだじぶんのものだった。

11 一九三一年、彼は羊の飼育を決意。たくさんの羊を買いこんだ。羊飼いたちにはとても親切だった。あまりにも親切だったので、アイダホでもその辺りでは噂話《うわさばなし》の種になるほどだった。羊たちは怖《おそ》しい羊の病気に罹《かか》って全滅した。

12 一九三三年、彼はさらにたくさんの羊を買いこんだが、羊飼いたちに非常に親切にすることをやめなかったので、噂の火にさらに油を注ぐ結果になった。羊たちは怖しい羊の病気に罹って、一九三四年、全滅した。

13 彼は羊飼いたちにたくさんボーナスを与えて、牧羊業から足を洗った。

14 借金を返すために農場を売ると、ピカピカの新車のシボレーを買えるだけの金がどうにか残った。その車に家族全員を乗せ、人生をゼロからやりなおすべく彼はカリフォルニアへ向った。

15 彼は四四歳、二八歳の妻と女の赤ん坊を抱えていた。

16 彼はカリフォルニアに知り合いもなく、時は恐慌《きょうこう》の時代。

17 彼の妻はすもも園でしばらく働き、彼はハリウッドのある駐車場で駐車係になった。

18 ある小さな建設会社の帳簿係に就職。

19 妻が男の子を産んだ。

20 カリフォルニアにおける不動産業に短期間たずさわったが、もうそれ以上はやるまいと決めて、また例の建設会社の帳簿係にもどった。

21 妻は食料品店の勘定場で働くことになり、八年もそこに勤めた。副支配人がその店を辞めじぶんの店を開いたので、彼女もそちらへ移ったが、いまもなお彼女はそこで働いている。

22 彼女は同じ店で勘定係を二三年間もやっている。

23 四〇歳になるまでは、彼女はとても美しかった。

24 建設会社は彼を馘《くび》にした。帳簿をつけるにはもう歳をとりすぎているのだといわれた。「田舎へ引っ込む潮どきだな」と冗談をいわれて。彼は五九歳だった。

25 二五年間も住んできた家をまだ賃借りしていた。その気になれば、頭金なしの五〇ドル月賦《げっぷ》で買えたこともあったというのに。

26 娘が高校へ通っていたころは、彼は娘の学校の小使いだった。娘は彼の姿を廊下で見かけた。小使いとして彼が働いていることが、家で話題にのぼることはきわめて稀《まれ》だった。

27 母親がふたり分の弁当を作った。

28 彼は六五歳で隠居して、甘いワインを呑《の》む、きわめて細心のアル中になった。ウィスキーが好きだったが、一家には彼をウィスキー浸りにさせておく金はなかった。彼はおおかたいつも家にいて、一〇時ごろから呑みはじめた。妻が食料品店へ働きに行って二、三時間たってからだ。

29 一日が過ぎて行く。彼は静かに酔う。台所の棚にワインを匿《かく》しておいて、そこからそおっと盗み呑むのだ。たった独りきりで家にいたのに。
彼が荒れることは少なく、妻が食料品店から帰ってくると、家はいつもきちんと片付いていた。けれども、いつしか彼も、アル中が酔ってないふりをするためにとても気をつけて歩こうとするときに見せる、あのこせこせした歩きかたを身につけてしまったことはたしかだ。

30 生活の代りに彼はワインを使った。もう生活がなかったから。

31 午後のテレビを見た。

32 かつて、彼が爆弾と機関銃を載せた第一次世界大戦の飛行機を飛ばしていると、虹がフランス上空を飛んでいた彼を追いかけた。

33 「きみのお父さん、きょうの午後亡くなった」

裏切りとメランコリア――訳者あとがき

『芝生の復讐《ふくしゅう》』はその副題が示すように、一九六二年から七〇年までの九年間に書きためられた短篇を集めたもので、『アメリカの鱒《ます》釣り』を書いたあとから七〇年までに書かれた短篇がいちおうぜんぶ収められていると考えてよいと思う。同時にその九年間にブローティガンは三つの長篇小説を発表した。『ビッグ・サーの南軍将軍』、『愛のゆくえ』、『西瓜糖《すいかとう》の日々』である。『芝生の復讐』に収められた作品の中にはサイモン・アンド・シュースターから単行本として出版される以前に、「ローリング・ストーン」「プレイボーイ」「ランパーツ」「ニュー・アメリカン・レヴュー」「ヴォーグ」「コヨーテズ・ジャーナル」「エスクワイア」などの各誌に掲載された短篇が入っている。

『芝生の復讐』は『アメリカの鱒釣り』とおなじように、あるいはそれ以上に自伝的な色彩が濃いので、作者について知るための作品としてもかっこうのものである。

ここに収められた短篇は六二篇だが、形式も文体もいろいろだ。物語、スケッチ、寓話《ぐうわ》、逸話、そのほか分類のしようもないものなど、じつに多様だ。ブローティガンはこの作品集でも、「アメリカとは何だろうか」と問い続けているようである。冒頭の「芝生の復讐」では、芝生という自然から予言能力を与えられていた語り手の祖父が気が触れてしまい精神病院に入れられたあと、まんまとおさまったジャックという男がきわめて〈反自然〉的な男で、フロリダの土地を切り売りし、芝生を放置し、青い実をつけた梨《なし》の木に灯油をかけて火を放つ、というように祖父とは対照的な存在として描かれているが、それが「わたしの人生最初の記憶」だという作者のことばで結ばれているので、これはやはりまさしく『アメリカの鱒釣り』で「ポルトワインによる鱒死《ますじに》」や「クリーヴランド建造物取壊し会社」を書いた作家であると、わたしたちはうなずく。

裏切られた王国としてのアメリカは、青い実をつけたまま燃される梨の木、酸《す》っぱくなった牛乳や古い人参《にんじん》を入れた冷蔵庫の影を銀行の預金口座に預けたいと言い張る中年の女性、年寄りしか乗っていないバス、たった独りだと信じて山を歩いているところへ突然あらわれる極貧の家族の掘立小屋、保険会社のとなりの四本のしだれ糸杉、失われた町のことを語るバーの水夫たち、灰色の毛布につつまれたマリリン・モンローの遺体、そしてロサンジェルスの一軒の借家の床に横たわる第一次大戦パイロットの死体である。裏切りは足早に、王国の子供らを訪れる。

わたしが家に近づくと、玄関の扉がバタンと開き、子供がひとり、間に合わせにこしらえた粗造りのポーチへ駆け出した。子供は靴もはいていなければ上着も着ていない。その男の子は九歳ぐらいで、髪の毛のなかでは四六時中風が吹き荒れているのではないかと思えるほどに、そのブロンドの髪はぼうぼうだった。（……）わたしがそこを通り過ぎたとき、子供たちはなにもいわなかった。妹たちの髪の毛は侏儒《こびと》の魔女のそれのようにもじゃもじゃに乱れていた。子供たちの両親の姿は見えなかった。家には明りが全然ついていない。（……）そこを通り過ぎたわたしは一言もいわなかった。子供たちはもうぐしょ濡《ぬ》れだ。ポーチの上の彼らは沈黙のなかにじっと身を寄せあっていた。これが人生だ、とわたしは思わずにはいられなかった。（「オレゴン小史」）

わたしは将軍になることを夢想した。それは第二次世界大戦が始まったばかりの頃のタコマで、わたしは小学校へ通う子供だった。そのとき、軍隊の階級制を利用して非常に巧妙に仕組まれた「新聞紙集め大運動」があった。（……）その後の二、三日をわたしはすねた気分で新聞紙探しに費したが、運よく誰かの地下室にあった「コーリア」誌のまあまあという束にあたって、それで伍長《ごちょう》の袖章《そでしょう》をもらうことになったが、その袖章もただちに靴下の下の兵卒の仲間に加わることになった。（……）そのすぐあと、翌日ぐらいだったか、わたしは栄光の軍歴に終止符を打ち、アメリカの、紙のように空《むな》しい幻滅の、影の領域へ踏み入った。アメリカ、そこでは挫折《ざせつ》とは不渡り小切手のこと、あるいは悪い通信簿のこと、あるいは恋の終りを告げる一通の手紙や読む人々を傷つけるすべてのことばのことである。(「伍長」)

「あるいは恋の終りを告げる一通の手紙」も、アメリカの挫折、アメリカの裏切りである。そのとき、人は「墓のような一杯のコーヒーを無事からだのなかにおさめて」、巡礼となる。彼が出会うのはインスタント・コーヒーばかり。テーブルの上にはいつも、コーヒーのカップとインスタント・コーヒーの瓶とスプーンが葬式のように並べられていて……。

「墓のように」、「墓のような」という表現は『芝生の復讐』にかぎらず、『アメリカの鱒釣り』でも『ビッグ・サーの南軍将軍』でもくりかえし使われている。ブローティガンじしん、日常の会話でたびたび口にする。わたしはそれがいつも気になっていた。「メスカル酒をのんだことはあるかい?」「いいえ」「あれはすごい。ひどいぞ。あれは墓場をのむようなものだ」「えっ?」「墓場をのむようなものだ、っていったのさ」あまりひんぱんに墓場、墓場というので、それはもうどちらかといえばハンバーガーといってるのと違いがないように感じられる。癖のようなものかな、と思うこともある。しかしいうまでもなく、それは癖と呼べるような言葉ではない。

それはある心的な状況をあらわすことばだろう。認識の方法をあらわす思想的なことばであるよりは、存在の様式のようなものをあらわしているように思える。そういうのがメランコリアと呼ばれるのかもしれない。「このユーモア作家の書いたものを読んで、人々はおかしい、おかしいとげらげら笑うのだったが、作家はなぜ人々がそれほどおかしがるのか見当もつかない。彼はそれを書いたとき、にこりともしなかったのだから」とブローティガンはつい最近書き終えたばかりの作品で主人公にそう語らせている。笑いもせずに、笑いを綴《つづ》る。もちろん感傷主義というようなものと、メランコリーは違う。メランコリーは〈認識の態度〉のことをいうのではないだろうから。状態を指す言葉だろう。その存在の状態としてのメランコリーを手がかりにすると、ブローティガンの作品の複層的な時間、過去が現在に流れこみ、現在が過去を掘り起す、その意識の運動の背景がわかるかもしれないと、仮説的に考えてみる。「ちょうど、タコマの黄昏《たそがれ》どきをとぼとぼと行くおまえに向ってわたしたちがわめき立てたようにさ」——世界は気のふれた老女を罵倒《ばとう》する黄昏どき、そして人生は、鹿《しか》のいる山奥の掘立小屋のポーチに、髪をぼうぼうに乱して上着もつけず靴もはかずにふりしきる雨の中、すっかり老《ふ》けこんだ感じで立ちつくしている沈黙の子供たちのことだ、——「これが人生だと思わずにはいられなかった」と語り手にいわせるブローティガンの物語はたびたび、ひんやりとした悲惨が核になっている。

メランコリアは人間を縛る。そしてメランコリアは人間を解き放つ。あるいは「書く」という行為によって、メランコリアを解き放ってやるといってもいいのかもしれない。そうすれば、裏切られた王国への思いは共有されるかもしれない。共有が可能になればエルマイラのユニオン高等学校の、明りをつける理由がないので破られることのない暗ささえ、ほんの一瞬光を放つかもしれない。

（一九七六年一月）

ふたたび、訳者あとがき

『芝生の復讐《ふくしゅう》』がこのたび文庫本になることは、とても嬉《うれ》しいことです。ブローティガンの著作のうちでも、これはとりわけ強くこころを惹《ひ》かれる作品のひとつだからです。『アメリカの鱒《ます》釣り』はいうまでもなく、それまでアメリカの小説にはなかったような大胆な文体で書かれていて、はじめて読んだときの衝撃というか、喜悦というか、それを忘れることはできません。いまも読み返すたびに、おどろいたり、うなるほど感心したりします。『鱒釣り』は作者自身が語っていたとおり、いわばアメリカという世界をかれだけが持っていた万華鏡で写してみせてくれた小説でした。個人的な体験をおおく題材にしながらも、語り手は「アメリカの鱒釣り」という人物や物であったりして、作者と語り手の距離のとりかたは、それはそれは見事でした。

『芝生の復讐』は、作者自身の悲傷感、挫《ざ》折感《せっかん》、疎《そ》外感《がいかん》、そして同時に、生き生きとした驚き、喜び、感動、おかしさなどを読者に直接伝えることができる文体で書かれています。その特徴ははっきりしていると思います。作者が読者のすぐそばまできて、あなたという個人に語りかけているような印象を与えてくれるのです。あなたはそれによって、眠っているところを突然おこされたときのような、夢と現実の境界線があいまいな場所におかれてしまい、動揺させられることだってあるでしょう。

『芝生の復讐』は、「わたしの祖母は、彼女なりに、波乱のアメリカ史に狼煙《のろし》のごとく光を放つ存在である」という意表をつく文章ではじまっています。祖母は禁酒時代に堂々とバーボンを密造して、保安官にまでそれを売り、商売は大繁盛《だいはんじょう》で、そのあたりでは誰でも知っている有名人だったと書かれています。そこから三ページほど読みすすむと、主人公の祖父は精神病院で十七年間もすごしてそこで一生をおえたこと、フロリダからはるばる太平洋北西海岸のワシントン州までやってきて、オレンジと陽光を行商のように個別訪問の方法で売り歩いていたジャックと名乗るひとりのセールスマンが祖母の家にも立ち寄ったこと、そして、男はなぜか祖母の家をフロリダの土地の切り売り行商の終着点ときめて、三十年も祖母と同《どう》棲《せい》したことが書かれています。

この話が重要なのは、ジャックが祖母の庭の梨《なし》の木《き》を伐りたおし、三十フィートの長さで横たわるその木にあとからあとから灯油をかけて燃やしていたその異様な光景が、作者・語り手にとって、「人間としての最初の記憶だった」ことです。

かくして、ブローティガンは『芝生の復讐』において、かれ・あるいは語り手の人生最初の記憶について書くことを、その出発点としました。そして、オレゴンやタコマですごした子ども時代の物語と、二十代のときに、ふたたび故郷へはもどらない決意で家出して、カリフォルニアへ行ってからのサン・フランシスコ時代の物語とがいりまじって、本書は構成されました。

故郷へは帰るつもりもない、帰りたくもないと語り手ははっきりいいながら、そこですごした子ども時代の物語がなぜこれほど多く書かれているのだろうか、と読者はいぶかしく思います。作者は故郷での子ども時代を毎日のように生きなおしているように感じられます。

故郷へついに最後まで帰ることのなかった主人公にとって、サン・フランシスコは第二の故郷になった、とあるとき、わたしは軽々しく書いてしまったのですが、そう書いたあと、どうも気持ちがすっきりしませんでした。ついに帰ることがなくても、故郷は故郷であり、どこかべつの場所がそれにとってかわれるような柔軟なものではないのではないか。

サン・フランシスコと故郷という言葉をつなげてはいけない、と気がついたとき、わたしはあらためて、ブローティガンが生きたかたちは亡命者のそれだったと理解しました。かれのひとり娘であるアイアンシにあったとき、二十歳にもならないリチャードがタイヤ屋で働いたりしながら、夜を徹して文章を書いていたことを理解した者はひとりもいなかった、まわりの人たちはそんな暮らしの役にもたたない、まるっきり無意味な、ろくでもない行動に執拗《しつよう》にしがみつくのは悪いことだ、と非難したのよ、と話してくれました。

「わたしの父には書くこと以外のことは何もできなかった。だってね、かれが消防士になったとか、警官になったとか、そんなこと想像できる?」

リチャード・ゲアリー・ブローティガンは一九八四年十月、ボリナスの暗い家のなかで拳《けん》銃《じゅう》で自分の頭を撃ちぬき、死んだ。四十八歳でした。自殺の理由については、いろいろな人びとがいろいろな推察や説明を口にしたり、書いたりしました。そうなることは目に見えていたじゃないか、といった友人や知人たち。いや、あれは泥酔《でいすい》したあげく、拳銃をもてあそんでいておきた暴発事故だったのだ、という意見も聞かれました。これ以上、書くという仕事はできそうもないという挫折感に打ちのめされていた日々が続くうちに、そうだ、死んでしまえばいいんだ、とある夜、ふと思いついたのだろうね、と確信のある様子で発言したのは、かつてブローティガンとかなり近しかった友人のひとりでした。

でも一九八四年のあの十月、わたしはあきらかに自殺と思われるかれの選んだ行動について、その理由を斟酌《しんしゃく》することはひかえる、とこころにきめました。彼が命をたった理由は明らかだと考えるのは軽薄すぎて、それは死者にたいする敬意をすてることではないだろうかと思ったのです。

昨年の秋だったでしょうか。リチャードの伝記を書くことを決意してすでに十年間も取りくんできた、という男性から手紙がとどいて、ほどなく電話がかかってきました。わたしたちは以前からの知り合いでもあったかのように、かなり長い時間、あれこれリチャードをめぐることがらを話し合いました。そして、かれがリチャードの自殺事件に関する刑事の報告書と、死体解剖医の報告と死亡証明書のコピーをもっていることを知ったわたしは、とても無礼なお願いかもしれませんが、それらの書類のコピーを作って送っていただけないかと、おずおずとたずねました。かれがせっかく苦心して手にいれたそれらの書類のコピーをくれ、というのは、ずいぶんと厚かましいではありませんか。けれども、かれはそれらはすべて、申請さえすれば、手に入る書類だよ、誰にでも読むことのできる公文書なのだから、コピーを送ることはわたしは厭《いや》ではないし、法的にも問題はない、さっそく送るから、といってくれました。

そのようなことを依頼したあとも、わたしはそれらの書類にほんとうに自分は目を通したいのだろうか、とさんざん迷いましたが、ある日、とうとう、保安官による現場検証報告や遺体を発見した隣人の証言や、解剖の結果報告などのコピーが郵便で届いてしまいました。それらの書類全部にわたしは目を通しました。報告書の言葉はむろんいかなる感情をもふくまない、詳細を記した事実の報告ですから、冷たくもなければ、もちろん同情的でもない客観的な文章です。なんて、奇怪な文体だと、わたしは思いました。

かれの自殺の理由についてひとりよがりの解釈はしないときめたわたしとても、ブローティガンの死についてはいうまでもなく残念で寂しく感じていました。けれども、それは底知れない、と形容できるほどの深い哀《かな》しみの中へ沈みこむような激しい感情とは異なっていました。理解もできずに、なんという不憫《ふびん》な、とあわれむのも無礼だと思いました。

二〇〇七年秋、血なまぐさい、悲惨きわまりない事件を、かわいた公式用語、かわいた標準的文体で報告しているこれらの怖ろしい文書に目をとおしたあと、わたしははじめて、とても自然に、そしてしんと静まりかえっていたこころの底から、「かわいそうなリチャード」とつぶやいたのでした。

二〇〇八年二月二十日の暁に

藤本和子

紀ノ国屋スーパーのリチャード・ブローティガン

岸本佐知子

私の大学時代の記憶ときたらそれはもう惨憺《さんたん》たるもので、四年間で覚えていることをぜんぶ合わせても四日ぶんぐらいにしかならない。それも教室が変更になったのに気づかずに全然ちがう授業をまる一学期聞いていたとか、アーチェリー部の合宿所がツンドラのように寒かったとか、学食のメニューが地獄級の不味《まず》さであったとか、たいがいは忘れてしまいたいようなことばかりだ。でもいいこともあった。リチャード・ブローティガンという作家と出会い、藤本和子という翻訳家を知った。その出会いがなければ、私は今ごろまるでちがう人生を歩んでいたにちがいないので、その四日のような四年間には、やはり感謝したい。

最初に読んだブローティガンは『西瓜糖《すいかとう》の日々』だった。大学三年の夏に友人から借りて読み、腰を抜かした。そこに描かれている世界の美しさに腰を抜かした。それがこの世のどこにもない世界でありながらすみずみまでリアルであることに、文字の力だけでこんなことができるのだということに、そしてこの作家を知らずに生きていた自分に、腰を抜かした。けっきょく私は本を返すのも忘れて貪《むさぼ》るように『西瓜糖の日々』を読み、そこからさらに

『アメリカの鱒《ます》釣り』、『芝生の復讐《ふくしゅう》』、『ビッグ・サーの南軍将軍』、『ソンブレロ落下す』……と、手に入るかぎりのブローティガンを片端から読み、読むものが尽きるとまた最初から読みなおし、どうしてこんなに自分はブローティガンが好きなのかわからなくて、そこでやっと原書を手に入れて読むということを思いついた。

原文と訳文の両方を読んでみて、気がついた。ブローティガンの言葉には、乾いた、明るい、孤独な、独特の美しさがあった。けれども、英語で読んだときに感じる美をすこしも減じたり変質させたりすることなく日本語に移しかえ、なおかつその痕跡《こんせき》をどこにも残さず、まるで最初から日本語として書かれたもののように自立している、この翻訳もすごいのじゃないか。ブローティガンの英語は一見したところ簡潔で、たとえば『西瓜糖の日々』などは、ほとんど中学で習うような単語だけを使って書かれている。ところがそれをふつうに訳しただけでは、どうやってもただスカスカとした感じにしかならない。不思議だった。どうやら *In Watermelon Sugar* と『西瓜糖の日々』とのあいだには、何か神秘の力が介在しているらしい。思えばそれが、私が翻訳というもののもつ力について考えた最初だった。

いまこれを書くにあたって手にしているのは晶文社から出た単行本版の『芝生の復讐』で、よほど大事にしていたはずなのに、何度もくりかえし読んだせいで、あちこち擦り切れている。あらためて読みかえしてみると、長い年月を経てなお一字一句まではっきりと覚えている一節に頻々とぶつかる――「おお、ワシントン州タコマの一九三九年の魔女よ、わたしがこうして次第におまえに似てきたいま、おまえはどこにいるのだ?」(「一六九二年版コットン・マザー・ニュース映画」)、「わたしたちはといえば、雨のトレーラーのなかに坐《すわ》りこんで、アメリカ文学の扉を叩《たた》いていたのである」(「⅓ ⅓ ⅓」)、「酔って女と寝て、酔って女とは寝ず、そしてまた酔って女と寝る、どちらでも同じこと」(「みずから選びし旗じるし」)、「ことばで表わすことのできない感情と、ことばでよりはむしろ糸くずの世界をもって描かれるべきできごとに、今夜のわたしは取り憑《つ》かれている」(「糸くず」)……。

翻訳されたブローティガンの本ではこういうことがたびたび起こる。あまりに何度も読みすぎたために、言葉が、リズムが、ほとんど自分の血の中に入ってしまっている。『芝生の復讐』は、他のどのブローティガン作品にもまして自伝的要素が強いと言われている。どしゃぶりの子供時代、「呪《のろ》われた土地」と彼が呼ぶ太平洋岸北西部からの逃亡、陽光あふれるカリフォルニアでなお抱きつづける故郷へのひりつくような思い。読んでいると、そこかしこで作者の声や息づかいが、顔つきや体温までがふわっと立ち上がってくる。結ばれる像はくっきりとして、すこしのぶれもない。いちども会ったことのないはずの作家なのに、ああこの人の声はたしかにこれだ、と思わされる。

いや、じつを言うと私はいちどリチャード・ブローティガンに会っている。青山の紀ノ国屋スーパーのレジで、すぐ前に並んでいた。缶詰とウイスキーを買っていた。あの、ご本を読んでます、と思い切って声をかけたら、振り向いて、そう、それはうれしいね、と笑って眉《まゆ》をひこつかせた。熊《くま》のように大きく、声もちょっと熊ふうだった。だから今回『芝生の復讐』をひさしぶりに読み返してみて、ああ、まさにあの時の声だとなつかしく思うのだが、それが明らかに偽《にせ》の記憶であるとわかるのは、ブローティガンはそのとき日本語をしゃべっていたからで、そんなねじれた錯覚を起こさせてしまうくらいに、藤本訳の造形力は強い。

ブローティガンの評伝であり評論集でもある著書『リチャード・ブローティガン』のなかで、藤本さんは『アメリカの鱒釣り』のなかの「クールエイド中毒者《ワイノ》」の最後の一文の訳語について触れている。illuminate という単語を字義どおりの「照らす」でも「酔わせる」でもなく「黙示」と訳したことについて、「これはすぎた意訳である、誤訳である、とそしられるかもしれない」としながらも、「二十九年前、意味をとり違えていたとは思わない」と言い、その理由についてつぎのように書いている。

それでも黙示という言葉をえらんだのにはわけがある。『アメリカの鱒釣り』が追いつづけていたことの一つは、小さいながらも奇蹟的《きせきてき》ともいえる黙示の世界だからである。ひとは曇り空からとつじょ輝く光がさしてくる光景に出会うと、そこで天啓や黙示を経験することがある。クールエイドの光明はその種の、この世のものとも思えないような、神秘の、奇蹟の光だった。

そしてこの文章の最後を「機会があっても、わたしはこの部分を訳しなおさないだろう」としめくくっている。私はこの部分をしびれながら読んだ。俠気《おとこぎ》、という言葉を思った。より大きな作品のデザインに忠実であるために、ときに譜面からの逸脱もいとわないこと。そのためなら誤訳のそしりを受けるリスクをも引き受けよう、という勇気の表明。その俠気《おとこぎ》の底にあるのは、言うまでもなく作品と作者に対する深い理解と献身であり、そのような出会いは作者にとっても訳者にとっても、そして何より読者にとって、幸福なものだ。

リチャード・ブローティガンは、本国アメリカではビートニク文学を代表する作家として一時期もてはやされ、そしてビートニクと一緒にほとんど忘れ去られてしまった。だがその間も日本では熱心なファンによって読み継がれ、ここ数年で相次いで復刊され、再評価の動きが高まっているのは、ひとえに藤本和子という理想の紹介者を得たからだろう。この翻訳でなければ、そして『アメリカの鱒釣り』のあのすばらしい訳者あとがきがなければ、ブローティガンは日本でも真価を理解されないまま、単にちょっとシュールで幻想的なことを書くユーモア作家として面白がられ、すぐに忘れられていたかもしれない。

私は藤本和子のいなかったアメリカの読者を、気の毒に思う。

（二〇〇八年二月、翻訳家）

この作品は一九七六年二月晶文社より刊行された。

R・ブローティガン
藤本和子訳

アメリカの鱒釣り

軽やかな幻想的語り口で夢と失意のアメリカを描いた200万部のベストセラー、ついに文庫化！　柴田元幸氏による敬愛にみちた解説付。

J・アーヴィング
筒井正明訳

ガープの世界
全米図書賞受賞（上・下）

巧みなストーリーテリングで、暴力と死に満ちた世界をコミカルに描く、現代アメリカ文学の旗手J・アーヴィングの自伝的長編。

J・アーヴィング
中野圭二訳

ホテル・ニューハンプシャー
（上・下）

家族で経営するホテルという夢に憑かれた男と五人の家族をめぐる、美しくも悲しい愛のおとぎ話――現代アメリカ文学の金字塔。

S・アンダーソン
上岡伸雄訳

ワインズバーグ、オハイオ

発展から取り残された街。地元紙の記者のもとに届く、住人たちの奇妙な噂。現代人の孤独をはじめて文学の主題とした画期的名作。

カポーティ
村上春樹訳

ティファニーで朝食を

気まぐれで可憐なヒロイン、ホリーが再び世界を魅了する。カポーティ永遠の名作がみずみずしい新訳を得て新世紀に踏み出す。

G・G＝マルケス
野谷文昭訳

予告された殺人の記録

閉鎖的な田舎町で三十年ほど前に起きた幻想とも見紛う事件。その凝縮された時空に共同体の崩壊過程を重層的に捉えた、熟成の中篇。

幽霊たち
P・オースター
柴田元幸訳

探偵ブルーが、ホワイトから依頼された、ブラックという男の、奇妙な見張り。探偵小説？哲学小説？'80年代アメリカ文学の代表作。

孤独の発明
P・オースター
柴田元幸訳

父が遺した夥しい写真に導かれ、私は曖昧な記憶を探り始めた。見えない父の実像を求めて……。父子関係をめぐる著者の原点的作品。

ムーン・パレス
日本翻訳大賞受賞
P・オースター
柴田元幸訳

世界との絆を失った僕は、人生から転落しはじめた……。奇想天外な物語が躍動し、月のイメージが深い余韻を残す絶品の青春小説。

偶然の音楽
P・オースター
柴田元幸訳

〈望みのないものにしか興味の持てない〉ナッシュと、博打の天才が辿る数奇な運命。現代米文学の旗手が送る理不尽な衝撃と虚脱感。

リヴァイアサン
P・オースター
柴田元幸訳

全米各地の自由の女神を爆破したテロリストは、何に絶望し何を破壊したかったのか。そして彼が追い続けた怪物リヴァイアサンとは。

ガラスの街
P・オースター
柴田元幸訳

透明感あふれる音楽的な文章と意表をつくストーリー——オースター翻訳の第一人者による デビュー小説の新訳、待望の文庫化！

ウィーダ
村岡花子訳
フランダースの犬
ルーベンスに憧れるフランダースの貧しい少年ネロは、老犬パトラシエを友に一心に絵を描き続けた……。豊かな詩情をたたえた名作。

R・ブラウン
柴田元幸訳
体の贈り物
食べること、歩くこと、泣けることはかくも切なく愛しい。重い病に侵され、失われゆくものと残されるもの。共感と感動の連作小説。

B・ユアグロー
柴田元幸訳
一人の男が飛行機から飛び降りる
あなたが昨夜見た夢が、どこかに書かれている！　牛の体内にもぐり込んだ男から、魚を先祖にもつ女の物語まで、一四九本の超短編。

ブコウスキー
青野　聰訳
町でいちばんの美女
救いなき日々、酔っぱらうのが私の仕事だった。バーで、路地で、競馬場で絡まる淫猥な視線。伝説的カルト作家の頂点をなす短編集！

J・ウェブスター
岩本正恵訳
あしながおじさん
孤児院育ちのジュディが謎の紳士に出会い、ユーモアあふれる手紙を書き続け——最高に幸せな結末を迎えるシンデレラストーリー！

B・ヴィアン
曾根元吉訳
日々の泡
肺に睡蓮の花を咲かせ死に瀕する恋人クロエ。愛と友情を語る恋人たちの、人生の不条理への怒りと幻想を結晶させた恋愛小説の傑作。

芝《しば》生《ふ》の復《ふく》讐《しゅう》

新潮文庫　フ - 20 - 3

Published 2008 in Japan
by Shinchosha Company

平成二十年四月一日発行
令和六年八月五日四刷

訳者　藤《ふじ》本《もと》和《かず》子《こ》
発行者　佐藤隆信
発行所　株式会社 新潮社

郵便番号　一六二—八七一一
東京都新宿区矢来町七一
電話 編集部(〇三)三二六六—五四四〇
読者係(〇三)三二六六—五一一一
https://www.shinchosha.co.jp

価格はカバーに表示してあります。
乱丁・落丁本は、ご面倒ですが小社読者係宛ご送付ください。送料小社負担にてお取替えいたします。

印刷・株式会社精興社　製本・加藤製本株式会社

ISBN978-4-10-214703-0 C0197